내 안의 힘

심리학자 엄마가 제안하는
실천 가능한 자기조절 가이드

내 안의 힘
(심리학자 엄마가 제안하는 실천 가능한 자기조절 가이드)

지은이 한규은

발 행 2024년 12월 31일
편낸곳 셀프비전
출판사등록 2023.01.05.(제2023-000001호)
전 화 (02) 2287-6162
이메일 self.regulation.kr@gmail.com

ISBN 979-11-981677-1-2

본 연구는 2023학년도 상명대학교 교내연구비를 지원받아 수행하였습니다.

내 안의 힘

심리학자 엄마가 제안하는 실천 가능한 자기조절 가이드

SELF
VISION

차 례

Part 2: 실전! 자기조절

제 4장: 일상에서의 자기조절 전략

제 5장: 자녀에게 자기조절력 키워주기 (배우자에게도 사용 가능)

제 6장: 자기조절을 방해하는 것들

Part 3 자기조절의 실천과 혁신

〈부 록〉

이 책은 자기조절에 실패한 심리학자의 이야기로 시작합니다.

"엄마, 어제 밤에 또 술 마셨지?"

아침 식탁에서 막내가 던진 질문에 저는 순간 말문이 막혔습니다. 밤늦게 막걸리를 마시다 치우지 않은 것을 발견했나 봅니다. 자기조절을 연구하는 심리학자가, 그것도 세 아이의 엄마가 이러면 안 되는데... 하지만 이런 실패와 좌절의 순간들이 모여 이 책이 되었습니다.

저는 완벽하지 않은 심리학자이자, 매 순간 자기조절에 도전하는 세 아이의 엄마입니다. 소위 말하는 이모님 도움 없이 직접 세 아이를 키우며 교수 생활을 하는 동안, 저는 수없이 많은 실수와 실패를 경험했습니다. 마감을 지키지 못했고, 약속 시간에 늦었고, 때로는 아이들 앞에서 감정 조절에 실패하기도 했습니다.

그런데 재미있는 것은, 이런 불완전함 속에서 오히려 더 깊은 통찰을 얻게 되었다는 점입니다. 연구실에서 배운 이론들이 실제 삶에서는 어떻게 적용되는지, 그리고 왜 때로는 실패하는지를 피부로 느낄 수 있었거든요. 말 그대로 제 인생이 하나의 '자기조절 실험실'이 된 셈이죠.

이 책에는 화려한 성공 사례나 마법 같은 해결책은 없습니다. 대신 한 불완전한 엄마이자 연구자가 삶에서 배운 소소한 지혜들,

그리고 그 과정에서 발견한 작은 희망들을 담았습니다. 때로는 웃기고, 때로는 짠한 이야기들이 여러분의 마음에 작은 위로가 되길 바랍니다.

사실 이 책을 쓰는 동안에도 저는 수없이 많은 자기조절의 실패를 경험했습니다. 원고 마감에 쫓겨 밤을 새우고, 다음 날 아침 늦잠을 자서 저 뿐만 아니라 애들이 지각을 하기도 했죠. 하지만 이제는 압니다. 완벽하지 않아도 괜찮다는 것을, 실패해도 다시 시작하면 된다는 것을.

부디 이 부족한 책이 여러분의 자기조절 여정에 작은 동반자가 되었으면 좋겠습니다. 그리고 기억해주세요. 우리는 모두 완벽하지 않지만, 그래도 매일 조금씩 성장하고 있다는 것을요.

마지막으로, 이 책이 나오기까지 함께 해준 우리 세 아이에게 고맙다는 말을 전하고 싶습니다. 엄마의 수많은 실수와 실패를 너그럽게 이해해 준 그들이야말로 제 인생 최고의 스승이었습니다.

2024년 겨울

세 아이와 함께 성장하는 심리학자 드림

프롤로그

당신의 뇌는 사실 게으름뱅이입니다

오늘도 여러분은 아침에 일어나자마자 스마트폰을 집어 들었을 것입니다. "오늘만큼은 SNS 체크하지 말아야지..." 하고 다짐했던 그 순간에도 말이죠. 왜 이런 일이 벌어질까요? 우리의 뇌가 놀랍도록 게으르기 때문입니다.

인류 역사상 가장 복잡한 기관인 우리의 뇌. 하지만 이 뇌는 에너지를 아끼려고 애쓰는 구두쇠이기도 합니다. 실제로 뇌는 체중의 2%에 불과하지만, 우리 몸이 소비하는 에너지의 20%나 사용합니다. 그래서 뇌는 최대한 에너지를 아끼려 하죠. 바로 이것이 우리가 자기조절에 실패하는 가장 큰 이유입니다.

예를 들어볼까요? 퇴근 후 피곤한 상태로 집에 돌아왔다고 상상해보세요. 냉장고에는 건강한 샐러드 재료가 있고, 옆 치킨집에서는 치킨 냄새가 솔솔 피어오릅니다. 이때 우리 뇌는 어떤 선택을 할까요? 네, 맞습니다. 대부분의 경우 치킨을 선택하죠. 왜냐고요? 우리 뇌는 수백만 년 동안 '최소한의 노력으로 최대한의 칼로리를 얻는 법'을 배워왔기 때문입니다.

저는 매일 아침 6시에 일어나 운동하겠다고 다짐했습니다. 알람을 맞추고, 운동복도 침대 옆에 준비해두었죠. 하지만 한 달 동안 단 하루도 성공하지 못했습니다. 대신 스누즈 버튼을 누르는 데는 놀라운 재능을 보여주었다고 합니다.

이것이 바로 우리 뇌의 실체입니다. 우리의 뇌는 마치 게으른 고양이 같아서, 편안한 소파에서 일어나고 싶어 하지 않습니다. 하지만 여기서 흥미로운 점이 있습니다. 우리는 이 게으른 뇌를 '속이는' 방법을 배울 수 있다는 것이죠.

제가 아는 워킹맘인 한 지인은 운동을 시작하기 위해 자신만의 특별한 규칙을 만들었습니다. 바로 넷플릭스는 오직 러닝머신 위에서만 보기로 한 것이죠. "요즘 정말 재미있는 드라마가 있는데, 저는 그걸 집에서 편하게 보지 않아요. 대신 헬스장 러닝머신 위에서만 봐요. 그러다 보니 다음 편이 너무 궁금해서 자연스럽게 매일 헬스장에 가게 되더라고요. 심지어 주말에는 일부러 한 편만 보고 나머지는 평일에 보려고 아껴두기까지 해요."

이렇게 시작한 그녀의 운동은 벌써 8개월째 이어지고 있습니다. 재미있는 것은 이제 드라마 한 편이 끝나면 다음 드라마를 고르는 재미도 생겼다고 합니다. "전에는 그냥 누워서 정주행했던 드라마를 이제는 러닝머신 위에서 정주행하니까, 칼로리도 태우고 드라마도 보고... 게다가 운동하면서 보니까 더 오래 기억에 남는 것 같아요. 어떤 장면을 볼 때 얼마나 뛰었는지도 같이 기억나거든요."

그녀의 이야기를 들으며 저는 다시 한번 깨달았습니다. 우리의 뇌는 억지로 바꾸려고 하면 더 저항하지만, 즐거움과 연결시키면 놀라운 변화가 가능하다는 것을요. 이제 그녀는 새로운 드라마가 나올 때마다 설레는 마음으로 러닝화를 신는다고 합니다.

우리의 뇌가 게으르다는 사실을 받아들이는 것, 이것이 자기조절의 시작입니다. 완벽한 의지력을 가진 척하는 대신, 우리의 게으른 뇌를 이해하고 현명하게 다루는 법을 배워야 합니다.

이 책에서는 여러분이 시도해볼 수 있는 다양한 방법들을 소개할 예정입니다. 예를 들어, '5분만 해보기' 전략이 있습니다. 공부를 시작하기 싫을 때 "그래, 딱 5분만 해보자"라고 자신과 약속하는 거죠. 보통은 5분을 넘겨서 하게 됩니다. 왜냐구요? 시작이 반이니까요. 뇌가 한번 작동모드로 전환되면, 계속하고 싶어 하는 경향이 있습니다.

또 다른 예시를 들어보겠습니다. 스마트폰 중독으로 고민하던 저는 스마트폰을 보다가 늦게 잠드는 것이 고민이었습니다. 그러다가 스마트폰은 거실에 두고 침대 옆에 재미있어서 아껴읽는 소설을 한 권씩 두고 읽기 시작하였습니다. 책은 스마트폰과 달리 읽다가 저절로 눈이 감겨서 푹 자게 되는 장점도 있었습니다.

이처럼 자기조절은 우리의 게으른 뇌와 싸우는 것이 아니라, 현명하게 협상하는 과정입니다. 때로는 뇌를 달래고, 때로는 속이고, 때로는 조금의 보상을 제공하면서 말이죠.

이 책은 여러분에게 "의지력이 부족하니 더 노력하라"고 말하지 않을 것입니다. 대신 우리는 함께 게으른 뇌를 다루는 영리한 방법들을 탐험할 것입니다. 여러분은 0세 아기부터 100세 노인까지, 다양한 연령대의 사람들이 어떻게 자신만의 방법을 찾아냈는지 배우게 될 것입니다.

특히 흥미로운 것은 최신 기술과 자기조절의 관계입니다. AI가 우리의 의지력을 대신할 수 있을까요? 뇌에 칩을 심으면 모든 것이 해결될까요? 이런 질문들에 대한 답을 찾아가는 과정도 무척 흥미진진할 것입니다.

하지만 가장 중요한 것은 이것입니다: 완벽한 자기조절이란 없다는 사실을 받아들이는 것. 우리는 모두 때때로 실패합니다. 다이어트 중에 치킨을 먹기도 하고, 공부하겠다던 주말에 하루종일 넷플릭스를 보기도 하죠. 그래도 괜찮습니다. 중요한 것은 다시 시작하는 것이니까요.

이제 우리는 긴 여정을 시작합니다. 여러분의 게으른 뇌와 친구가 되어, 함께 성장하는 여정을 말이죠. 때로는 웃고, 때로는 좌절하겠지만, 분명 그 끝에는 더 나은 삶이 기다리고 있을 것입니다.

자, 이제 시작해볼까요? 아, 잠깐만요! 이 책을 읽기 전에 스마트폰은 조금 멀리 두는 게 어떨까요? 네, 바로 그런 작은 결정부터 시작입니다.

이 책을 쓰게 된 이유
(힌트: 제 자신도 통제가 안돼서...)

심리학 교수로서 제가 늘 강연에서 하는 말이 있습니다. "자기조절에 대해 공부하면 할수록 더 어려워진다." 아이러니하게도 이것은 제 자신의 이야기이기도 합니다. 특히 세 아이의 엄마로서 더욱 절실하게 느끼는 부분이죠.

저는 자기조절에 관한 전문가가 되겠다는 야망을 품고 있었죠. 하지만 현실은... 글쎄요, 조금 달랐습니다.

그날도 저는 자기조절에 관한 논문을 쓰고 있었습니다. 정확히는 '쓰려고 노력하고' 있었죠. 제 책상 위에는 반쯤 먹다 만 초콜릿 바가 세 개, 찬 커피 세 잔이 놓여있었고, 마구잡이로 책들이 널려있었습니다. 시계는 이미 자정을 향해 달려가고 있었고요.

"자기조절의 신경생리학적 메커니즘..."이라고 타이핑하다가, 문득 유튜브를 켰습니다. "잠깐만 고양이 영상 하나 보고 다시 쓰면 되겠지..." 한 시간 후, 저는 고양이 영상에서 시작해서 어떻게 된 영문인지 말하는 앵무새부터 다른 나라 판다들이 밥먹는 영상을 보고 있었습니다. 그러다 문득 내일 아침 1교시 수업이 있다는 사실이 생각났습니다.

특히 재미있는 것은 제가 매일 아이들에게 하는 말입니다. "티비는 30분만 봐야 해", "과자는 하나만 먹자", "숙제 먼저 하고 놀자"... 그러면서 정작 저는 밤늦게까지 유튜브를 보고 있었죠. 3살 막내가 어느 날 이렇게 말했습니다.

"엄마, 엄마도 핸드폰 그만하고 공부해야 하지 않아요?"

아이의 맑은 눈빛에 저는 할 말을 잃었습니다. 자기조절 전문가라는 사람이, 정작 스스로는 전혀 조절하지 못하고 있었던 거죠.

다음날 아침, 저는 제 연구실 화이트보드에 이렇게 썼습니다. "프로젝트 목표: 누구나 실천할 수 있는 자기조절 안내서 쓰기 (아이들과 함께 배우는)"

실제로 세 아이와 함께 하는 일상은 자기조절에 관한 최고의 실험실이 되었습니다. 3살 막내의 떼쓰기를 달래면서 배운 감정 조절법, 5살 둘째와 함께 하는 '정리정돈 게임'에서 얻은 통찰, 7살 첫째의 예리한 관찰력에서 배운 교훈들... 이 모든 것이 이 책의 소중한 재료가 되었습니다.

특히 인상 깊었던 것은 어느 날 저녁 있었던 일입니다. 첫째가 학교 숙제 하는 것을 도와주다가 저도 모르게 스마트폰을 들여다보고 있었죠. 그때 둘째가 와서 이렇게 말했습니다.

"엄마, 우리공부할 때 엄마는 책 읽기로 했잖아요."

그 순간 깨달았습니다. 자기조절은 혼자 하는 것이 아니라, 함께 배우고 성장하는 것이라는 걸요.

이런 경험들이 쌓이면서, 저는 점점 더 확신하게 되었습니다. 자기조절은 단순히 '참는 것'이 아니라 '이해하고 받아들이는 것'이라는 걸요. 예를 들어, 제가 상담하는 내담자들에게 자기조절에 대해 조언할 때면, 종종 우리 집 이야기를 들려줍니다.

"저희 집 세 아이들은 제게 최고의 스승이에요. 7살 첫째는 제게 일관성을 가르쳐줬죠. '엄마는 왜 우리한테만 규칙을 지키라고 해요?'라는 질문으로요. 5살 둘째는 유연성을 알려줬어요. 계획대로 되지 않는 상황에서도 즐겁게 지내는 법을요. 3살 막내는... 글쎄요, 매일 저에게 인내심 훈련을 시켜주고 있죠."

특히 재미있었던 것은 이 책을 쓰는 과정 자체가 거대한 자기조절 실험이 되었다는 점입니다. 낮에는 교수로, 저녁에는 엄마로, 그리고 밤에는 작가로... 이 모든 역할을 해내면서 자기조절의 진정한 의미를 깨달았습니다.

어느 날 저녁, 첫째가 학교에서 있었던 일을 이야기하다가 물었습니다. "엄마, 왜 어른들은 항상 '이래야 한다, 저래야 한다' 하면서 정작 본인들은 안 지켜요?"

그 순간 저는 이 책의 진정한 목적을 깨달았습니다. 이 책은 단순한 '자기계발서'가 아닙니다. 이것은 우리 모두의, 특히 완벽하지 않은 부모들의 이야기입니다. 아이들 앞에서 롤모델이 되어야 한다는 압박감과 현실 사이에서 고민하는 우리들의 이야기죠.

자기조절은 결코 쉽지 않습니다. 특히 세 아이를 키우는 워킹맘으로서는 더욱 그렇죠. 하지만 그렇기 때문에 더욱 가치 있는 것 같습니다. 우리가 완벽하지 않다는 것을 인정하고, 그래도 계속 노력하는 모습을 아이들에게 보여주는 것... 어쩌면 그것이 진정한 자기조절의 시작일지도 모르겠습니다.

아, 그리고 방금 전에도 저는 이 원고를 쓰다가 아이들 장난감 정리하는 것을 도와주러 갔다가, 30분 동안 함께 놀았답니다. 예전 같았으면 '시간 낭비'라고 생각했을 테지만, 이제는 압니다. 그것도 우리 삶의 소중한 한 부분이라는 것을요.

이 책을 통해 완벽한 부모가 되는 법이 아닌, 더 나은 부모가 되어가는 과정을 함께 나누고 싶습니다. 때로는 실패하고, 때로는 지치겠지만, 그래도 계속 앞으로 나아가는 우리들의 이야기...

그리고 방금 막내가 들어와서 이렇게 말하네요. "엄마, 이제 그만하고 같이 놀아요!" 내일 또 이어서 써야겠습니다.

PART 1

자기조절 이해하기

제 1 장

자기조절이란?

현대 심리학이 말하는 '자기조절'의 마법

심리학자로서 제가 가장 흥미롭게 연구해온 주제가 바로 '자기조절(self-regulation)'입니다. 현대 심리학에서는 이것을 단순한 '참기'나 '인내'가 아닌, 우리 뇌의 정교한 조절 시스템으로 바라봅니다. 마치 교통 통제 센터처럼, 우리 뇌는 끊임없이 들어오는 욕구와 충동을 관리하고 조절하죠.

먼저 흥미로운 실험 하나를 소개해드리겠습니다. 스탠포드 대학의 월터 미셸(Walter Mischel) 교수가 진행한 '마시멜로 실험'입니다. 4살 아이들 앞에 마시멜로를 하나 놓고 이렇게 말했죠. "15분 동안 이 마시멜로를 먹지 않고 기다리면, 하나를 더 줄게." 어린아이들의 반응은 실로 다양했습니다. 어떤 아이들은 즉시 마시멜로를 먹어버렸고, 어떤 아이들은 눈을 가리거나 다른 곳을 보면서 참아냈죠.

놀라운 것은 이 실험의 후속 연구였습니다. 마시멜로를 참아낸 아이들은 10년, 20년이 지난 후에도 더 나은 학업 성적, 더 건강한 대인관계, 심지어 더 높은 연봉을 보여주었다고 합니다. 하지만 여기서 중요한 점은 '참는 능력'이 아니라 '전략'이었습니다. 성공적으로 참아낸 아이들은 모두 자신만의 전략이 있었거든요.

현대 심리학은 이런 '전략적 자기 다스리기'를 세 가지 핵심 요소로 설명합니다.

첫째는 '모니터링(monitoring)'입니다. 제가 상담했던 한 직장인의 사례를 들어보겠습니다. 그는 회의 중에 자주 화를 내는 것이 고민이었습니다. 우리는 함께 '감정 온도계' 기법을 시도했습니다. 자신의 감정 상태를 0도부터 100도까지의 온도로 표현하는 거죠. 그는 매 시간 자신의 '감정 온도'를 체크했고, 80도가 넘으면 잠시 화장실을 다녀오는 전략을 세웠습니다. 6개월 후, 그의 동료들은 "마치 다른 사람이 된 것 같다"고 평가했습니다.

둘째는 '기준 설정(standard setting)'입니다. 우리 뇌는 명확한 목표가 있을 때 가장 효과적으로 작동합니다. "운동을 더 열심히 해야지"라는 막연한 목표 대신, "매일 아침 7시에 공원을 3바퀴 돌자"라는 구체적인 목표가 훨씬 효과적이죠. 최근 제가 이 책의 뒷부분에서 소개한 '미니멀 목표 설정법'은 이런 원리를 활용합니다. 예를 들어, "하루 1쪽이라도 책을 읽자"와 같은 아주 작은 목표를 세우는 거죠. 재미있는 것은, 대부분의 사람들이 일단 1쪽을 읽기 시작하면 그보다 훨씬 더 많이 읽는다는 겁니다.

셋째는 '조절력(regulatory strength)'입니다. 이것은 마치 근육과 같아서, 훈련을 통해 강화될 수 있습니다. 한 연구에서는 오른손잡이들에게 2주 동안 왼손으로만 이를 닦게 했습니다. 놀랍게도 이 간단한 훈련만으로도 다른 영역의 자기 통제력이 향상되었죠. 이를 '자기조절의 전이 효과'라고 부릅니다.

특히 흥미로운 것은 뇌과학 연구 결과입니다. fMRI 연구에 따르면, 자기조절이 잘 되는 순간에는 전전두피질(prefrontal cortex)이 매우 활성화됩니다. 이 영역은 우리 뇌의 'CEO'라고 할 수 있죠. 하지만 피로하거나 스트레스를 받으면 이 영역의 기능이 현저히 저하됩니다. 그래서 피곤할 때 다이어트가 실패하기 쉬운 것입니다.

현대 심리학은 이런 과학적 발견을 바탕으로 매우 실용적인 전략들을 제시합니다. '환경 디자인' 전략이 대표적입니다. 예를 들어, 과자를 안 먹으려고 하기보다는 처음부터 집에 과자를 두지 않는 것이죠. 또는 '습관 스태킹(habit stacking)'이라는 방법도 있습니다. 새로운 습관을 기존의 습관에 연결하는 거죠. "재미있는 영상을 볼 때마다 스트레칭을 하자"와 같은 식으로요.

가장 최근의 연구들은 '자기 연민(self-compassion)'의 중요성을 강조합니다. 자기조절에 실패했을 때 자신을 비난하는 것이 오히려 역효과를 낸다는 거죠. 대신 "괜찮아, 다음에 더 잘하면 돼"라는 식의 자기 위로가 장기적으로 더 효과적이라고 합니다.

디지털 시대의 자기조절은 새로운 도전과제를 제시합니다. 스마트폰의 끊임없는 알림, 소셜미디어의 유혹, 넷플릭스의 자동 재생 기능... 이런 것들은 우리의 자기조절 능력을 끊임없이 시험합니다. 하지만 역설적으로, 기술은 자기조절의 도구가 될 수도 있습니다.

예를 들어, 특정 앱의 사용 시간을 제한하거나, 생산성 앱을 활용하는 식으로요.

결국 현대 심리학이 말하는 자기조절의 핵심은 '균형'입니다. 너무 엄격한 통제도, 너무 느슨한 방임도 문제가 됩니다. 중요한 것은 자신의 상태를 이해하고, 상황에 맞는 적절한 전략을 선택하는 것이죠.

우리는 이제 자기조절이 단순한 '의지력의 문제'가 아니라는 것을 알게 되었습니다. 그것은 과학적으로 연구되고, 체계적으로 개발될 수 있는 능력입니다. 마치 정원을 가꾸는 것처럼, 꾸준한 관심과 적절한 돌봄이 필요한 것이죠.

이런 현대 심리학의 발견들은 우리에게 희망을 줍니다. 자기조절은 타고나는 것이 아니라 배우고 발전시킬 수 있는 능력이라는 것, 그리고 그 과정에서 우리는 조금 더 현명하고 균형 잡힌 삶을 살아갈 수 있다는 것을 말입니다.

그냥 '아니오(NO!)'라고 말하는게 아닙니다

인생은 선택의 연속입니다. 하지만 모든 선택이 '예'일 필요는 없죠. 자기조절의 핵심은 바로 이 '아니오'를 적절하게 사용하는 데 있습니다. 하지만 우리는 종종 이 '아니오'를 잘못 이해하고 있습니다.

세 아이를 키우는 심리학자로서, 저는 매일 수십 번의 '아니오'를 말해야 합니다. "엄마, 아이스크림 하나만 더!" "게임 5분만 더 할게요!" "오늘은 숙제 안 하면 안 돼요?" 하지만 단순히 '아니오'라고 말하는 것은 진정한 자기조절과는 거리가 멉니다.

현대 심리학 연구들은 '아니오'의 진정한 의미와 효과적인 사용법에 대해 새로운 통찰을 제공합니다. 바우마이스터와 티어니(Baumeister & Tierney, 2012)의 연구에 따르면, 효과적인 '아니오'는 단순한 거절이 아닌, 적극적인 선택의 과정입니다. 이는 우리 뇌의 전전두엽과 밀접한 관련이 있는데, 이 부위는 의사결정과 감정조절을 담당합니다.

특히 주목할 만한 것은 맥고니걸(McGonigal, 2019)의 연구입니다. 그녀는 '아니오'를 말할 때 우리 뇌에서 일어나는 변화를 연구했는데, 단순히 거절하는 것과 대안을 제시하며 거절하는 것은 전혀 다른 뇌 활성화 패턴을 보인다는 것을 발견했습니다.

다음은 효과적인 '아니오'의 세 가지 핵심 요소입니다.

첫째, '아니오'는 명확한 이유를 동반해야 합니다. "왜 안 되는지" 설명하는 것은 단순한 거절보다 훨씬 효과적입니다. 예를 들어, 제 5살 둘째가 밤늦게 과자를 달라고 할 때, 저는 이렇게 말합니다. "지금 과자를 먹으면 내일 아침에 피곤할 거야. 대신 내일 간식 시간에 맛있게 먹자." 이런 설명은 아이의 자기조절 능력 발달에도 도움이 됩니다.

둘째, '아니오'는 대안을 제시해야 합니다. 대안이 있는 거절이 그렇지 않은 거절보다 더 잘 수용할 수 있습니다. 예를 들어, "SNS 그만하고 공부해!"라고 말하는 대신 "30분 동안 집중해서 공부하고, 그 다음 10분 동안 SNS를 하는 건 어떨까?"라고 제안하는 것이 더 효과적입니다.

셋째, '아니오'는 일관성이 있어야 합니다. 일관된 '아니오'는 장기적으로 더 강한 자기조절력을 만듭니다. 상황에 따라 들쑥날쑥한 기준은 오히려 혼란을 가중시킬 수 있습니다.

하지만 여기서 주의할 점이 있습니다. '아니오'를 말하는 것도 연습이 필요합니다. 제가 상담하는 분들 중 상당수는 '아니오'를 말하는 것을 어려워합니다. 특히 한국 사회에서는 더욱 그렇죠. 하지만 건강한 '아니오'는 건강한 관계의 기초가 됩니다. 적절한 거절은 오히려 관계를 좋게 강화시킬 수도 있습니다. 진실된 마음을 서로에게 보여주면서 신뢰가 형성될 수 있는 것 처럼요.

그렇다면 효과적인 '아니오'는 어떻게 연습할 수 있을까요?

먼저, 작은 것부터 시작하세요. 예를 들어, 카페에서 "더 필요한 거 있으세요?"라는 질문에 "아니요, 괜찮습니다"라고 말하는 연습을 해보세요. 이런 작은 상황에서의 연습이 더 중요한 상황에서의 '아니오'를 준비하는 기초가 됩니다.

둘째, '아니오'를 말할 때의 감정을 관찰하세요. 많은 사람들이 '아니오'를 말한 후 죄책감을 느낍니다. 하지만 이는 자연스러운 감정이며, 이런 감정을 인식하고 받아들이는 것이 중요합니다.

셋째, '아니오'의 결과를 기록해보세요. 대부분의 경우, 우리가 걱정했던 것보다 결과는 훨씬 긍정적입니다. 이런 기록이 쌓이면 더 자신감 있게 '아니오'를 말할 수 있게 됩니다.

자기조절에서 '아니오'의 역할은 단순한 거절이 아닌, 더 나은 선택을 위한 도구입니다. 이는 마치 교통신호등의 빨간불과 같습니다. 단순히 '멈춤'을 의미하는 것이 아니라, 안전한 이동을 위한 필수적인 신호인 것처럼요.

참고문헌

Baumeister, R. F., & Tierney, J. (2012). Willpower: Rediscovering the greatest human strength. Penguin.

McGonigal, K. (2019). The joy of movement: How exercise helps us find happiness, hope, connection, and courage. Penguin.

‘자기조절’의 영웅들

우리는 종종 자기조절이 불가능하다고 생각합니다. "난 원래 의지가 약해..."라며 체념하곤 하죠. 하지만 역사와 현대 사회에는 놀라운 자기조절력으로 불가능을 가능으로 만든 사람들이 있습니다. 이들의 이야기는 우리에게 희망과 영감을 줍니다.

스티븐 호킹: 몸은 제한되었지만, 마음은 우주를 날다

21세, 젊고 유망한 물리학도였던 스티븐 호킹은 루게릭병이라는 충격적인 진단을 받습니다. 의사는 그에게 2년의 시한부 선고를 내렸죠. 하지만 호킹은 포기하지 않았습니다. 그는 자신의 분노와 좌절을 연구에 대한 열정으로 승화시켰습니다.

점차 몸의 통제력을 잃어가는 상황에서도, 호킹은 오히려 더 강력한 정신적 자기조절을 보여주었습니다. 그는 하루하루를 마치 마지막인 것처럼 소중히 여기며 연구에 매진했습니다. 결국 그는 2

년이 아닌 55년을 더 살며, 현대 물리학의 지평을 넓혔습니다.

호킹은 이렇게 말했습니다. "내 몸은 제한되어 있을지 모르지만, 내 마음은 자유롭다." 이는 진정한 자기조절이 단순한 신체적 통제가 아닌, 정신적 집중과 의지에 있다는 것을 보여줍니다.

넬슨 만델라: 27년의 감옥에서 피워낸 용서의 꽃

27년간의 감금. 대부분의 사람들이라면 분노와 증오로 가득 차게 될 시간입니다. 하지만 만델라는 달랐습니다. 그는 이 시간을 자신의 분노를 다스리고 더 큰 지혜를 얻는 기회로 삼았습니다.

만델라는 매일 아침 운동으로 하루를 시작했습니다. 좁은 감방에서도 규칙적인 생활을 유지했죠. 더 놀라운 것은 그가 교도관들의 언어를 배우고, 그들의 문화를 이해하려 노력했다는 점입니다. 이는 단순한 학습이 아닌, 자신의 편견과 분노를 조절하는 과정이었습니다.

출소 후, 만델라는 이렇게 말했습니다. "용서하되 잊지는 말라." 이는 감정을 부정하는 것이 아닌, 그것을 현명하게 다스리는 진정한 자기조절의 모습을 보여줍니다.

프리다 칼로: 고통을 예술로 승화시킨 영혼

18세에 겪은 끔찍한 교통사고로 평생 고통에 시달린 프리다 칼로. 그녀는 수십 차례의 수술과 끊임없는 통증 속에서도 자신을 놓지 않았습니다. 대신 그 고통을 예술로 승화시켰죠.

침대에 누워있어야 할 때는 천장에 거울을 달아 자화상을 그렸습니다. 통증이 심할 때면 오히려 더 밝은 색채로 그림을 그렸죠. 그녀의 작품들은 단순한 예술이 아닌, 고통을 다스리는 자기조절의 기록이었습니다.

일론 머스크: 도전적 자기조절

논란이 많은 인물이지만, 머스크의 자기조절력만큼은 주목할 만 합니다. 그는 특히 시간 관리에서 놀라운 자기조절력을 보여줍니다. 테슬라와 스페이스X를 동시에 이끌면서, 그는 자신의 하루를 5분 단위로 쪼개어 관리합니다.

머스크는 "나는 보통 4-5시간 잔다"라고 말합니다. 하지만 더 중요한 것은 그의 집중력입니다. 그는 한 가지 일에 완전히 몰입하는 '타임 블록킹' 방식을 사용합니다. '타임 블로킹'은 하루를 5분에서 1시간 단위의 작은 블록으로 나누어 각 시간대별로 특정 작업을 할당하고 그 시간에는 오직 해당 작업에만 집중하는 시간 관리 기법입니다. 일론 머스크는 이 방식을 활용해 5분 단위로 일정을 쪼개고, 업무 시간의 대부분을 엔지니어링과 디자인에 할애하며, 이메일은 필수적인 시간에만 확인하고 미팅도 꼭 필요한 경우에만 짧게 진행하는 것으로 알려져 있습니다. 이러한 타임 블로킹은 시간 낭비를 최소화하고 깊은 집중을 가능하게 하며 멀티태스킹을 방지하고 업무 우선순위를 명확히 하는 장점이 있습니다.

김연아: 완벽을 향한 끝없는 여정

"10년 동안 하루도 빼먹지 않고 훈련했다"는 김연아의 말은 단순한 과장이 아닙니다. 그녀의 자기조절력은 특히 일상의 작은 부분에서 빛을 발했습니다.

매일 새벽 5시 기상, 정해진 식단 지키기, 하루 8시간 이상의 훈련등 철저한 자기관리가 있었기에 '피겨여왕'이 될 수 있었습니다. 특히 주목할 만한 것은 그녀의 감정 조절 능력입니다. 큰 대회의 압박감 속에서도 평상심을 유지하는 모습은 많은 이들에게 영감을 주었습니다.

BTS의 RM: MZ세대 자기조절의 아이콘

글로벌 스타의 삶은 끊임없는 자기조절의 연속입니다. 방탄소년단(BTS)의 랩몬스터(RM, 김남준)은 특히 학습에 대한 놀라운 자기조절력을 보여줍니다. 바쁜 연습 일정 속에서도 꾸준한 독서와 학습을 통해 자신을 발전시켰죠.

그는 "하루에 30분이라도 책을 읽는다"는 원칙을 지켰고, 이는 그의 가사 작성과 세계관 형성에 큰 영향을 미쳤습니다. 특히 인상적인 것은 그의 언어 학습에 대한 접근방식입니다. "실수를 두려워하지 말자"는 그의 모토는 자기조절이 완벽함이 아닌 지속성에 있다는 것을 보여줍니다.

이들의 이야기에서 우리는 몇 가지 중요한 교훈을 얻을 수 있습니다.

첫째, 자기조절은 상황에 대한 반응의 선택입니다. 호킹과 칼로는 극한의 신체적 제약 속에서도 자신의 반응을 선택했습니다.

둘째, 자기조절은 하루아침에 이루어지지 않습니다. 김연아와 RM의 사례처럼, 작은 일상적 습관들이 모여 큰 성취를 만듭니다.

셋째, 자기조절은 유연해야 합니다. 만델라가 보여준 것처럼, 때로는 우리의 생각과 감정을 바꾸는 것이 진정한 자기조절일 수 있습니다.

이들은 모두 완벽하지 않았습니다. 그들도 우리처럼 실수하고, 좌절하고, 때로는 포기하고 싶은 순간들이 있었을 것입니다. 하지만 그들이 영웅인 이유는 계속해서 다시 시작했기 때문입니다.

우리도 할 수 있습니다. 오늘부터, 지금 이 순간부터 시작하면 됩니다. 어쩌면 몇 년 후에는 누군가가 여러분의 이야기를 이 책의 개정판에 싣게 될지도 모르겠습니다.

왜 '자기조절'이 중요한가?
: 감옥에 가기 싫다면...

자기조절이 중요한 이유를 설명하기 위해, 먼저 한 가지 상상을 해보겠습니다. 오늘 아침, 당신은 평소보다 30분 늦게 일어났습니다. 출근 시간에 쫓기는 당신의 차 앞으로 느릿느릿 운전하는 차가 있네요. 화가 치밀어 오르지만, 당신은 참습니다. 이게 바로 자기조절입니다. 만약 이때 자기조절에 실패했다면? 도로 위의 분노는 때로 돌이킬 수 없는 결과를 초래하죠.

하지만 자기조절의 중요성은 단순히 '감옥에 가지 않기 위해서'만은 아닙니다. 그것은 우리 삶의 모든 영역에 영향을 미칩니다.

최신 뇌과학 연구들은 자기조절이 우리 뇌의 전전두엽(prefrontal cortex)과 밀접한 관련이 있다는 것을 보여줍니다. 이 부위는 우리의 '실행 기능'을 담당하는데, 쉽게 말해 뇌의 CEO 역할을 합니다. 재미있는 것은, 이 부위가 스트레스를 받으면 제대로 작동하지 않는다는 점입니다.

세 아이의 엄마로서, 저는 이것을 매일 경험합니다. 피곤할 때면 아이들의 투정에 더 쉽게 화가 나고, 영양가도 없는 고칼로리 음식이나 술을 참기도 더 어려워지죠. 이건 단순히 의지력의 문제가 아닙니다. 우리 뇌의 CEO가 휴가를 떠난 상태와 비슷한 겁니다.

유명한 '마시멜로 실험'을 아시나요? 4살 아이들에게 마시멜로를 하나 주고, 15분 동안 참으면 하나 더 주겠다고 했던 실험입니다. 놀라운 것은 이 아이들을 30년 동안 추적 관찰한 결과였습니다. 마시멜로를 참았던 아이들은 그렇지 않은 아이들보다 1) 학업 성적이 더 우수했고, 2) 대인관계가 더 원만했으며, 3) 비만율이 더 낮았고, 4) 일반적으로 수입이 더 높았습니다. 뿐만아니라 5) 이혼율도 낮았다고 합니다. 결혼한 분들은 아시겠지만 결혼생활이야말로 '자기조절'의 집약체라고 할수 있겠습니다. 이 연구는 어린 시절의 자기조절 능력이 삶의 전반적인 성공과 깊은 관련이 있다는 것을 보여줍니다.

디지털 시대는 우리의 자기조절 능력을 더욱 시험합니다. 스마트폰의 끊임없는 알림, 넷플릭스의 자동 재생, SNS의 무한 스크롤과 클릭 등 이들은 모두 우리의 자기조절을 방해하도록 정교하게 설계되어 있습니다.

얼마 전, 저는 이 책의 원고를 쓰다가 자주 방문하는 인터넷 커뮤니티를 아주 잠깐 보고 올 겸 휴식을 취했습니다. 그리고 정신을 차려보니 3시간이 지나있었죠. 아이러니하게도 자기조절에 대한 글을 쓰다가 자기조절에 실패한 겁니다.

자기조절이 없다면 우리의 삶이 어떻게 될까요?

- 신용카드로 충동구매를 한다? → 빚더미에 앉게 됩니다
- 화가 날 때마다 참지 않는다? → 인간관계가 파괴됩니다
- 먹고 싶은 걸 마음대로 먹는다? → 건강이 나빠집니다
- 하기 싫은 일은 미룬다? → 경력이 망가집니다
- SNS만 하루종일 본다? → 인생이 허비됩니다

극단적으로 들리나요? 하지만 이는 자기조절이 없는 삶의 현실적인 결과입니다. 자기조절의 긍정적 효과는 예상보다 더 광범위합니다:

자기조절할 수 있는 힘을 기르면 우리 삶의 여러 영역에서 긍정적인 변화가 일어납니다. 먼저 정신 건강 면에서는 스트레스에 더 잘 대처할 수 있게 되고, 우울증 위험이 줄어들며, 불안감이 감소하고 자존감이 높아집니다. 신체 건강에도 큰 도움이 되는데, 면역력이 강화되고 수면의 질이 좋아지며, 만성질환에 걸릴 위험이 줄어들어 결과적으로 수명 연장에도 도움이 됩니다. 대인관계 측면에서는 더 깊이 있는 대화가 가능해지고 갈등을 해결하는 능력이 향상되며, 다른 사람과의 신뢰관계를 더 잘 구축할 수 있게 되어 리더십도 향상됩니다. 경제적인 면에서도 이점이 있는데, 소비 습관이 현명해지고 장기적인 재테크가 가능해지며, 직장에서의 성과가 향상되어 경력 발전에도 도움이 됩니다.

자기조절은 타고나는 것이 아닙니다. 마치 근육처럼, 훈련을 통해 강화될 수 있습니다. 처음에는 힘들겠지만, 꾸준한 연습으로 점점 더 강해집니다. 제가 세 아이를 키우면서 배운 것이 있다면, 자기조절은 완벽할 필요가 없다는 것입니다. 10번 중 7번만 성공해도 충분합니다. 중요한 것은 실패했을 때 다시 시작하는 것이죠.

역설적이게도, 자기조절은 우리에게 더 큰 자유를 줍니다. 충동과 감정의 노예가 되지 않을 때, 우리는 진정으로 자유로워집니다.

이제 다시 처음의 질문으로 돌아가볼까요? 자기조절이 왜 중요한가요? 네, 감옥에 가지 않기 위해서이기도 하지만, 그것보다 더 중요한 것은 진정한 자유를 얻기 위해서입니다.

우리는 모두 선택할 수 있습니다. 당장 내 눈앞의 충동에 휘둘릴 것인가, 아니면 더 나은 미래를 위해 현재를 조절할 것인가? 그 선택은 여러분의 몫입니다.

이 책을 통해 당신의 인생을 뒤집어엎는 방법

세 아이의 엄마이자 심리학 교수인 제가 이 책을 통해 여러분의 인생을 뒤집어놓을 마법 같은 이야기를 들려드리려고 합니다. 물론 이 '마법'은 과학적 근거를 바탕으로 한 것입니다.

먼저, '뒤집어엎기'라는 말에 겁먹지 마세요. 여러분의 인생을 한 번에 180도 바꾸자는 게 아닙니다. 그건 너무 비현실적이죠. 대신 우리는 작은 변화들을 통해 점진적으로, 하지만 확실하게 변화를 만들어갈 겁니다.

제 경우를 예로 들어볼게요. 저는 매일 아침 세 아이를 깨워서 등원, 등교시키고, 대학에서 강의하고, 상담도 하고, 연구도 하고, 집에 와서는 집안일도 해야 하고 또 엄마 노릇을 해야 합니다. 누군가는 이렇게 물었죠. "어떻게 그 많은 일을 다 하세요?" 솔직히 말씀드리면, 처음에는 저도 못 했습니다. 완벽하게 하려다가 매일 실패했죠. 둘째가 돌 전까지는 육아보조자(시터)에게 육아를 많이 부탁하면서 저만의 시간을 사용하기도 했었습니다. 그런데 아들 둘 가진 엄마의 비극이랄까요? 둘째가 걷기 시작하고 며칠 후에 계시던 육아보조자님께서 관두셨습니다. 그 뒤로 수없이 많은 분을 모시고 싶었으나 아무도 저희 집에 와주시지 않으셨습니다. 그 뒤 1년 후 셋째까지 태어나며 이제는 구인광고를 해도 연락한통이 오지 않는 상황이었습니다. 어쩔 수 없이 저 혼자 이 난관을 해쳐나가야만 했습니다. 아이가 셋이었기에 생계형 직장은 관둘수도 없었구요. 일도 하고 엄마 역할도 해야 하는 상황이었습니다.

하지만 이 책에서 소개하는 방법들을 하나씩 적용하면서, 제 인생은 조금씩 변하기 시작했습니다. 가장 큰 변화는 '완벽주의'를 버린 것입니다. 완벽하지 않아도 괜찮다는 걸 받아들이니, 오히려 더 많은 것을 해낼 수 있었습니다.

이 책으로 인생을 바꾸는 첫 번째 방법은 '미니멀 목표 설정'입니다. 예를 들어, "하루 2시간 운동하기" 대신 "하루 5분 스트레칭하기"로 시작하는 겁니다. 너무 쉬워 보이나요? 그게 바로 포인트입니다. 제 7살 첫째가 말했듯이, "엄마, 쉬운 건 재미없어요"라고 생각하실 수 있어요. 하지만 이 '쉬운' 목표야말로 지속 가능한 변화의 시작입니다.

두 번째 방법은 '실패를 교훈으로 바꾸기'입니다. 저는 이것을 '실패 일기'로 실천했습니다. 매일 밤 자기 전에 그날의 실패를 기록하고, 그것을 어떻게 배움으로 바꿀 수 있을지 고민했죠. 처음에는 우울했지만 점점 재미있어졌습니다.

세 번째는 '시간 도둑 찾기'입니다. 여러분의 하루에는 수많은 '시간 도둑'들이 숨어있습니다. 저의 경우는 소셜미디어였죠. "잠깐만 볼게"하고 시작했다가 한 시간이 훌쩍 지나있곤 했습니다. 이런 시간 도둑들을 찾아내서 하나씩 제거하다 보면, 마치 마법처럼 시간이 생겨납니다.

네 번째는 '에너지 관리'입니다. 시간 관리만큼 중요한 게 에너지 관리예요. 아무리 시간이 있어도 에너지가 없으면 아무것도 할 수 없으니까요. 저는 하루 중 가장 에너지가 넘치는 시간에 가장 중요한 일을 하기 시작했어요. 아이들이 모두 자는 이른 오전 시간이 바로 그때죠.

다섯 번째는 '감정 일기 쓰기'입니다. 이건 정말 신기한 효과가 있어요. 여러분의 감정을 글로 표현하다 보면, 마치 마법처럼 그 감정이 정리되기 시작합니다. 처음에는 어색하겠지만, 꾸준히 하다 보면 자신의 감정 패턴을 이해하게 됩니다.

여섯 번째는 '미래 자아와 대화하기'입니다. 이건 제가 특별히 좋아하는 방법이에요. 10년 후의 나에게 편지를 쓰는 겁니다. "안녕하세요, 2034년의 나. 지금 어떻게 지내시나요?" 처음에는 좀 웃기죠. 하지만 이런 상상이 우리의 현재 행동을 변화시키는 강력한 동기가 됩니다.

일곱 번째는 '감사 실천하기'입니다. 매일 저녁 식사 시간에 아이들과 돌아가며 그날 감사했던 일을 이야기합니다. 처음에는 억지로 했지만, 이제는 습관이 되었습니다. 놀랍게도 이런 작은 습관이 우리의 시선을 긍정적인 방향으로 바꾸어놓았습니다.

여덟 번째는 '실천 공동체 만들기'입니다. 혼자서는 힘들어도, 함께하면 가능합니다. 아이들 친구의 엄마들과 함께 아이디어를 모아 사업을 해보자며 '자기계발 모임'을 만들었습니다. 각자의 목표를 공유하고, 서로를 응원하면서 놀라운 변화들이 일어나기 시작했습니다. 물론 아직 사업은 시작조차 하지 않았지만 말입니다.

아홉 번째는 '실수를 즐기기'입니다. 네, 맞아요. '즐기기'라고 했습니다. 실수는 피할 수 없다면, 차라리 즐겨버리는 겁니다. 제가 강의 중에 실수를 했을 때, 이제는 당황하지 않고 "자, 이게 바로 실제 상황에서 벌어지는 일이죠"라고 말합니다.

마지막으로, '작은 승리 축하하기'입니다. 큰 목표를 이루기 위한 작은 진전들을 매일 축하하세요. 저희 집에서는 매주 금요일 저녁에 '작은 승리 파티'를 합니다. 파티라고 해봤자 피자나 치킨과 함께하는 저녁식사이지만, 이런 작은 축하가 다음 주의 동력이 됩니다.

이 모든 방법들이 여러분의 인생을 한순간에 바꿔놓지는 못할 겁니다. 하지만 조금씩, 천천히, 그리고 확실하게 변화를 만들어낼 것입니다. 마치 제가 세 아이를 키우면서 깨달은 것처럼요. 하루하루는 혼돈처럼 보이지만, 뒤돌아보면 분명한 성장이 보입니다.

자, 이제 여러분의 차례입니다. 어떤 방법부터 시작해보고 싶으신가요? 기억하세요. 완벽할 필요는 없습니다. 그저 시작하세요.

제 2 장
심리학자들이 말하는 자기조절

당신의 뇌가 '안돼!'라고 외치는 순간

우리의 뇌는 놀라운 기관입니다. 하지만 때로는 우리의 가장 큰 적이 되기도 하죠. 특히 자기조절이 필요한 순간, 우리의 뇌는 마치 반항기 가득한 십대처럼 '안돼!'를 외칩니다. 이런 현상을 심리학에서는 '인지적 저항'이라고 부릅니다.

세 아이를 키우는 심리학자로서, 저는 이 '안돼!' 순간을 매일 경험합니다. 더 흥미로운 것은, 전문가인 제가 이론적으로는 이 모든 것을 알고 있음에도, 실제로는 제 뇌의 저항을 이기지 못할 때가 많다는 점입니다.

뇌의 '안돼!' 시스템은 어떻게 작동할까요?

우리 뇌에는 크게 두 가지 시스템이 있습니다. 시스템 1은 빠르고 감정적이며 직관적입니다. 시스템 2는 느리지만 논리적이고 계획적이죠. 자기조절이 필요한 순간, 이 두 시스템은 종종 충돌을 일으킵니다.

예를 들어볼까요? 저는 매일 아침 5시에 일어나서 논문을 써보겠다고 다짐합니다. 알람이 울리면 시스템 2는 "일어나야 해, 운동은 건강에 좋아"라고 말하죠. 하지만 시스템 1은 "5분만 더. 아니 30분만 더..."라고 속삭입니다.

뇌가 특히 크게 '안돼!'를 외치는 상황들은 다음과 같은 경우입니다. 먼저 피로할 때입니다. 우리 뇌의 전전두엽(의사결정과 자제력을 담당하는 부위)은 피로에 매우 민감합니다. 마치 배터리가 부족한 스마트폰처럼, 에너지가 떨어지면 제대로 작동하지 않죠.

제 경험을 나누자면, 얼마 전 밤늦게까지 논문을 쓰다가 라면이 끓여 먹고 싶어졌습니다. 평소라면 "이 시간에 라면은 안 돼"라고 참았겠지만, 피곤한 뇌는 "인생은 짧고 라면은 너무 맛있어"라는 말도 안 되는 논리를 제시했죠.

두 번째로 스트레스를 심하게 받았을 경우입니다. 스트레스를 받으면 우리 뇌는 코티솔이라는 호르몬을 분비합니다. 이때 뇌는 단기적인 위안을 주는 행동에 더 취약해집니다.

3살, 5살, 7살 세 아이의 동시 투정에 시달리다 보면, 제 뇌는 종종 "그냥 태블릿 줘버려!"라고 외칩니다. 물론 이것이 장기적으로 좋은 해결책이 아니라는 것을 알면서도 말이죠.

세 번째로 사회적 압박 상황에서 우리 뇌는 기본적으로 집단에 속하고 싶어하는 성향이 있습니다. 이때 자기조절은 특히 어려워집니다. 한 예로, 학회 뒤풀이에서 "한 잔만 더!"라는 동료들의 권유를 거절하기가 얼마나 어려운지요. 심지어 다음 날 아침 일찍 강의가 있다는 것을 알면서도 말이죠.

뇌가 '안돼!'를 외칠 때 동원하는 변명들을 보면 때로는 웃음이 납니다: "이번만 예외로 하자" (그러나 이번은 항상 있습니다) "내일부터 시작하면 돼" (내일은 결코 오지 않죠) "다른 사람들도 다 이래" (남의 잘못이 내 잘못을 정당화하지는 않습니다) "인생은 짧으니까!" (그래서 더 현명하게 살아야 합니다)

그렇다면 이러한 뇌의 '안돼!'를 어떻게 극복할 수 있을까요?

에너지 관리하기 중요한 결정이나 자기조절이 필요한 상황은 가능한 한 에너지가 충분할 때로 미루는겁니다. 저는 중요한 원고나 논문은 반드시 아침에 씁니다. 밤에는 뇌가 "유튜브나 보자"고 외치니까요.

또한 환경을 적절히 바꿔보는 것도 방법입니다. 유혹 자체를 제거하는 것이 가장 효과적입니다. 제 연구실에는 과자가 없습니다. 있으면 먹게 되니까요. 이것을 심리학에서는 '상황적 조절'이라고 합니다.

마지막으로 뇌가 '안돼!'를 외치기 전에 자동화된 루틴을 만드는 겁니다. 저는 운동복을 베개 옆에 두어 아침 운동을 준비합니다. 생각할 시간을 주지 않는 거죠. 또한 매일 하다보면 운동이 습관이 됩니다.

가장 중요한 것은 이런 순간들이 자연스럽다는 것을 이해하는 겁니다. 완벽한 자기조절은 불가능합니다. 우리의 뇌는 수백만 년의 진화 과정에서 생존을 위해 즉각적인 만족을 추구하도록 프로그래밍되었기 때문입니다. 제가 상담 현장에서 자주 하는 말이 있습니다. "자기조절의 실패를 실패로 보지 마세요. 그것은 우리 뇌가 작동하는 자연스러운 방식일 뿐입니다." 결국 중요한 것은 뇌와 싸우는 것이 아니라 협상하는 것입니다. 예를 들어:

"30분만 공부하고 10분 쉬자" "이번 주에 자기조절을 잘하면 주말에 보상하자" "지금 이 유혹을 참으면 내일 더 큰 즐거움이 있을 거야" 이런 협상은 뇌의 저항을 줄이는 데 효과적입니다.

우리의 뇌가 '안돼!'라고 외치는 순간은 피할 수 없습니다. 하지만 그것을 이해하고 현명하게 다루는 법을 배울 수는 있죠. 결국 자기조절은 뇌와의 끝없는 대화이자 협상의 과정입니다.

다음에 여러분의 뇌가 '안돼!'를 외칠 때, 한번 물어보세요. "정말 안 되는 걸까, 아니면 그냥 지금 하기 싫은 걸까?" 그리고 기억하세요. 당신만 이런 게 아니라는 것을요. 심리학 교수인 저도, 지금 이 글을 쓰다가 세 번이나 SNS를 확인했으니까요.

감정은 자기조절의 친구인가, 적인가?

오늘 아침, 연구실로 향하던 중 예기치 않은 상황을 겪었습니다. 갑자기 끼어든 차량에 순간적으로 화가 났지만, 이내 그 감정이 전하는 메시지가 "좀 더 일찍 출발했어야 했다"는 것임을 깨달았습니다. 이처럼 감정과 자기조절의 관계는 오래된 부부와 같이 복잡하면서도 친밀한 관계를 가지고 있으며, 이를 이해하는 것이 자기조절의 핵심이 됩니다.

많은 사람들이 감정을 자기조절의 적으로 여깁니다. "감정적이 되지 말자"라는 말을 자주 하죠. 하지만 이는 큰 오해입니다. 감정은 우리 몸의 내비게이션 시스템과 같습니다. 위험을 알려주고, 기회를 포착하게 하며, 우리의 욕구와 필요를 알려줍니다.

예를 들어, 제가 상담하는 내담자 중 한 분은 회사에서 자주 화를 내는 것이 고민이었습니다. 자세히 이야기를 나누어보니, 그의 분노는 실은 '공정하지 않은 대우'에 대한 신호였습니다. 감정이 상황의 문제를 정확히 짚어낸 거죠.

우리의 감정은 앞으로 어떻게 대비해야 할지 신호를 보냅니다. 불안은 "조심하세요", 기쁨은 "계속하세요", 분노는 "뭔가 잘못됐어요"라고 말합니다.

또한, 감정은 강력한 에너지를 제공합니다. 분노는 부당한 상황을 바꾸는 동력이 될 수 있고, 열정은 어려운 과제를 완수하게 하는 연료가 될 수 있습니다.

뿐만 아니라 감정은 우리의 가치관과 필요를 알려줍니다. 특정 상황에서 느끼는 불편함이나 편안함은 우리가 무엇을 중요하게 여기는지 보여주는 중요한 지표입니다.

자기조절과 감정의 관계는 서로를 이끌기도 하고, 따르기도 하면서 조화로운 움직임을 만들어냅니다.

얼마 전 한 학회에서 발표를 앞두고 있었습니다. 심장이 쿵쾅거리고 손이 떨렸습니다. 이런 불안감을 무시하는 대신, 저는 그것을 '준비가 덜 됐다는 신호'로 받아들였습니다. 덕분에 발표 전날 밤늦게까지 자료를 보완했고, 결과적으로 더 나은 발표를 할 수 있었습니다.

감정 지능은 자기조절의 핵심 요소입니다. 이는 다음 네 가지 능력을 포함합니다

1. 감정 인식하기: 자신의 감정을 정확히 알아차리는 것입니다. 예를들어 "나는 지금 화가 난 건가, 아니면 불안한 건가?" 인식하는 것입니다.

2. 감정 이해하기: 그 감정이 왜 생겼는지 이해하는 것입니다. 예들들면 "이 분노는 실제로는 두려움에서 온 것일까?" 등을 되새겨보는 것입니다.
3. 감정 표현하기: 감정을 건설적인 방식으로 표현하는 것입니다. "나는 지금 속상해요"라고 말하는 것이 소리를 지르는 것보다 효과적입니다.
4. 감정 조절하기: 감정을 상황에 맞게 조절하는 것입니다. 완전히 없애는 게 아니라, 적절한 수준으로 조절하는 것이 핵심입니다.

감정이 자기조절을 도울 수도 있습니다. 예를 들어 동기 부여자로서 적절한 불안감은 시험 공부를 하게 만들고, 적당한 긴장감은 중요한 발표를 더 잘하게 만듭니다. 화가 날 때는 잠시 멈추어 그 이유를 살펴보세요. 종종 중요한 문제를 발견하게 될 것입니다. 특정 상황에서 느끼는 감정은 우리의 선택이 옳은지 알려주는 중요한 피드백이기도 합니다.

결론적으로, 감정은 자기조절의 적이 아닙니다. 오히려 현명한 동반자가 될 수 있습니다. 중요한 것은 감정을 억누르거나 무시하는 것이 아니라, 그것을 이해하고 활용하는 것입니다.

다음에 강한 감정이 올라올 때, 잠시 멈추고 물어보는 겁니다 "이 감정이 내게 무엇을 말하려 하는 걸까?" "이 감정이 가리키는 진짜 문제는 무엇일까?" "이 감정을 어떻게 건설적으로 활용할 수 있을까?"

자기조절은 감정 없이는 불가능합니다. 그것은 마치 나침반 없이 항해하는 것과 같습니다. 우리의 감정은 때로는 시끄럽고, 불편하고, 다루기 어려울 수 있습니다. 하지만 그것은 우리가 더 나은 결정을 내리고, 더 풍요로운 삶을 살도록 돕는 소중한 안내자입니다.

제 3 장
연령별 자기조절 가이드

아기도 할 수 있어요!

세 아이의 엄마이자 심리학자로서, 저는 매일 아침 실험실에서 잠을 깹니다. 그곳은 바로 저희 집입니다. 3살, 5살, 7살 아이들과 함께하는 일상은 영유아기 자기조절 발달의 생생한 현장입니다.

자기조절의 첫 신호는 바로 울음입니다. "우리 아기는 아무것도 못해요"라고 말씀하시는 부모님들이 많습니다. 하지만 이는 큰 오해입니다. 아기들은 태어나는 순간부터 자기조절을 시작합니다. 가장 기본적인 형태가 바로 울음입니다. 막내가 생후 3개월이었을 때의 일입니다. 한밤중에 울음소리가 들려 달려갔는데, 기저귀도 깨끗하고 배고픈 것도 아니었어요. 그저 엄마의 체온이 필요했던 거죠. 아기는 울음으로 자신의 상태를 조절하고 있었던 겁니다.

6-12개월 시기의 아기들은 "안 돼요"를 처음 경험합니다. 첫째의 경우, 토스트기에 손을 뻗을 때마다 제가 "안 돼요"라고 말했습니다. 처음에는 울면서 저항했지만, 점차 그 말의 의미를 이해하기 시작했습니다.

재미있는 것은, 아기들이 이 "안 돼요"를 통해 세상의 규칙을 배우기 시작한다는 점입니다. 이것이 바로 자기조절의 첫 단계입니다.

12-24개월 시기에는 "기다려 보세요" 챌린지가 시작됩니다. 둘째가 15개월 때였습니다. 간식을 달라고 떼를 쓰길래, "5분만 기다려 보자"고 했죠. 처음에는 대성통곡을 했지만, 모래시계를 보여주니 신기하게도 기다리기 시작했습니다. 이 시기의 아기들은 '지연된 만족'을 처음 경험합니다. 물론 처음에는 30초도 못 기다립니다. 하지만 이것이 바로 자기조절의 씨앗이 되죠.

만 2-3세 무렵이 되면 "내가 할래요" 시기가 시작됩니다. 이 나이에는 "내가! 내가!"를 외치기 시작합니다. 저희 막내는 지금 이 단계인데, 양말 신는 데 20분이 걸려도 꼭 혼자 하려고 합니다. 이런 고집은 사실 자기조절 발달의 중요한 신호입니다. 아이들은 이 과정에서 인내심과 문제 해결 능력을 키웁니다.

이 시기에 다음과 같은 놀이로 자기조절 능력을 키워줄 수 있습니다. 먼저 '기다림 놀이'입니다. 저는 세 아이 모두에게 '티타임 게임'을 했습니다. 장난감 티팟에 물을 따르는 시늉을 하면서 "찻잔에 차가 다 찰 때까지 기다려보자"라고 하는 거죠. 재미있는 방식으로 기다림을 연습하는 겁니다. 두 번째로는 매사에 '선택권 주기'입니다. "파란 양말 신을래, 빨간 양말 신을래?" 제한된 선택권을 주면 아이들은 결정하는 법을 배우고, 그 결정에 책임감을 느끼기 시작합니다.

어른들은 시간을 아끼겠다는 이유로, 아이들을 배려한다는 이유로 아이들의 자기조절능력을 키울 수 있는 상황에서 흔한 실수를 하기도 합니다. 가장 자주 목격하는 장면은 아이가 스스로 해결할 시간을 충분히 주지 않은 채 너무 빨리 도와주는 것입니다. 아이가 실패하는 것을 지켜보기 힘들고 그 과정에서 아이들이 집안을 어지르는 것을 용납하기 힘들 수도 있습니다.. 하지만 적절한 실패는 자기조절 발달에 필수적입니다. 두 번째 실수는 일관성 없는 규칙입니다. 오늘은 되고 내일은 안 되고와 같은 불일치는 아이들을 혼란스럽게 합니다. 세 번째는 연령에 맞지않는 과도한 기대를 가지는 것입니다. 2살 아이에게 30분을 기다리라고 하는 건 무리입니다. 연령에 맞는 적절한 기대치를 설정하는 것이 중요합니다.

첫째가 3살 때였습니다. 동생이 태어나자 질투심에 동생 장난감을 자주 빼앗았습니다. 어느 날, 스스로 "동생 것이니까 안 돼요"라고 말하는 걸 들었습니다. 그때의 감동은 아직도 잊을 수 없어요.

둘째는 2살 때 "화나면 세 번 숨쉬기"를 가르쳤는데, 어느 날 장난감이 망가졌을 때 실제로 그렇게 하는 걸 봤습니다. 아이들의 자기조절 능력은 이렇게 작은 승리들로 만들어집니다.

영유아기의 자기조절은 마치 정원을 가꾸는 것과 같습니다. 당장은 눈에 띄는 변화가 없어 보여도, 매일매일의 작은 노력들이 모여 튼튼한 뿌리를 만듭니다. 부모로서 가장 중요한 것은 인내심입니다. 아이들의 자기조절 능력은 하루아침에 생기지 않습니다. 하지만 일관된 사랑과 지지 속에서, 그들은 조금씩 성장해갈 것입니다.

오늘 저녁, 여러분의 아이가 작은 자기조절을 보여줄 때, 그것을 축하해주세요. 그것이 바로 미래의 큰 성장을 위한 소중한 한 걸음이됩니다.

초등학생도 할 수 있다!
(때론 어른보다 잘함)

초등학생들의 자기조절 능력은 때로 우리 어른들을 놀라게 합니다. 세 아이의 엄마이자 심리학자로서, 저는 특히 우리 첫째(7살)가 보여주는 자기조절의 순간들에 감탄하곤 합니다. 어쩌면 지금이야말로 자기조절의 황금기일지도 모르겠습니다.

초등학생들은 어른들이 생각하는 것보다 훨씬 더 뛰어난 자기조절 능력을 가지고 있습니다. 예를 들어, 우리 첫째는 얼마 전 이런 말을 했습니다. "엄마, 나 유튜브 보고 싶은데, 숙제 먼저 할래요. 그래야 나중에 마음이 편할 것 같아요." 솔직히 말씀드리면, 저도 이런 수준의 자기조절을 못할 때가 많습니다. 밤늦게 야식을 시켜먹으면서 "내일부터 다이어트 시작!"이라고 외치는 제 모습을 보면, 오히려 제가 첫째한테 배워야 할 것 같단 생각이 듭니다..

초등학생들의 자기조절은 더 특별합니다. 어른들과 달리, 초등학생들의 자기조절은 더 순수한 동기에서 비롯됩니다. "다른 사람이 어떻게 볼까?" 하는 걱정보다는 자신의 진정한 목표를 위해 행동합니다. 또한, 아직 고정관념이 덜한 초등학생들은 새로운 방법을 시도하는 데 더 열려있습니다. 첫째는 공부할 때 타이머를 맞추고 "내가 타이머랑 달리기 시합하는 거예요!"라고 말하기도 합니다. 뿐만 아니라 초등학생들은 자신의 행동에 대한 피드백을 더 솔직하게 받아들입니다. 자존심을 세우기 보다는, 실수를 인정하지 않기 보다는 "아, 이렇게 하니까 안 좋네?"하고 바로 수정하는 모습을 보여줍니다.

우리 첫째의 사례를 몇 가지 소개하겠습니다. 초등학교 1학년인 첫째는 아침에 일어나자마자 할 일 목록을 수첩에 적습니다. 양치질, 옷 입기, 가방 챙기기, 일기쓰기, 독서록쓰기, 연산문제 풀기, 줄넘기하기 등. 그리고 하나씩 완료할 때마다 동그라미를 칩니다.. 어떤 어른의 일정관리 앱보다도 효과적입니다. 뿐만 아니라 감정조절의 고수이기도 합니다. 동생과 다툼이 있었을 때, "제가 화가 나서 그랬어요. 사과할게요."라고 말하는 모습을 보면서 깜짝 놀랐습니다. 어른들도 잘 못하는 감정 인식과 표현을 자연스럽게 해내는 겁니다. 또한 스스로 학습의 주도하기도 합니다. "오늘은 사고력수학이 어려웠으니까, 내일은 아침 일찍 일어나서 천천히 다시 볼래요."라고 하며 더 나은 내일을 준비합니다. 이런 메타인지적 사고는 정말 감탄스럽습니다.

초등학생에게 자기조절 능력을 키워주기 위해서는 다음과 같은 전략이 효과적입니다. 첫 번째는 선택권을 주는 것입니다. "언제 숙제할지 네가 정해보자" "오늘 저녁에 뭐 먹을지 네가 골라보자"

이런 작은 선택들이 자기조절력을 키웁니다. 두 번째는 실수를 배움의 기회로 "실수해도 괜찮아. 다음엔 어떻게 하면 좋을까?"라는 접근으로 실수를 두려워하지 않는 환경을 만들어주는 것입니다. 마지막으로 자기 평가를 통해 격려하는 것입니다. "오늘 네가 생각하기에 잘한 점은 뭐야?" "다음엔 뭘 다르게 해보고 싶어?" 이런 질문들은 과거의 자기를 되돌아보고 자기조절의 근육을 키웁니다.

요즘 초등학생들은 특별한 도전에 직면해 있습니다. 스마트폰, 게임, 유튜브와 같은 이런 유혹들 속에서 자기조절을 배워야 합니다. 그래서 우리 집은 '디지털 신호등' 시스템을 만들었습니다.

- 빨간불: 학습시간 (디지털 기기 완전 금지)
- 노란불: 제한적 사용 가능 시간
- 초록불: 자유 사용 시간

놀랍게도 이 시스템을 가장 잘 지키는 건 아이들입니다. 어른인 저야말로 "잠깐만 이메일 확인할게"라며 규칙을 어기곤 합니다.

초등학생들의 자기조절 성공 사례는 우리에게 많은 것을 가르쳐 줍니다. "초콜렛을 먹고 싶지만, 양치질 했고 자기 전이니까 참을래요." "게임하고 싶은데, 나랑 약속했으니까 숙제부터 해야죠." "동생이 짜증나게 해도, 때리면 안 되니까 방에 가서 진정할래요."

이런 말들을 들을 때마다, 저는 생각합니다. 어쩌면 우리 어른들이 배워야 할 게 더 많은게 아닌가 싶습니다.

초등학생들의 자기조절은 우리에게 중요한 교훈을 줍니다. 그들은 우리에게 순수한 동기, 유연한 사고, 그리고 즉각적인 수정 능력의 가치를 보여줍니다.

다음에 여러분의 아이가 "이건 지금 하면 안 될 것 같아요"라고 말할 때, 잠시 멈추고 생각해보세요. 어쩌면 그 순간, 여러분의 아이는 어른보다 더 현명한 선택을 하고 있는 것인지도 모릅니다.

그리고 기억하세요. 우리 모두는 한때 이런 순수한 자기조절의 능력을 가진 초등학생이었다는 것을요. 어쩌면 우리에게 필요한 건, 그 시절의 지혜를 다시 떠올리는 것인지도 모르겠습니다.

사춘기와 자기조절: 미션 임파서블?!

방문을 쾅 닫고 들어가는 십대, 한숨 쉬며 그 앞에 서 있는 부모님. 이런 장면을 보며 저는 늘 생각합니다. '사춘기의 자기조절은 정말 불가능한 일일까?' 심리학자로서, 그리고 곧 이 시기를 맞이할 세 아이의 엄마로서, 이 질문은 제게 매우 절실합니다.

사춘기 청소년의 뇌는 마치 한창 공사 중인 놀이공원과 같습니다. 여기저기 공사장 테이프가 둘러져 있고, 일부는 완성되었지만 일부는 아직 공사 중이죠. 재미있는 예를 하나 들어보겠습니다. 제가 상담했던 15살 민지(가명)의 경우입니다. 어느 날 그는 이렇게 말했습니다: "선생님, 제가 이상해진 것 같아요. 어제는 수학 시험 망쳤다고 세상이 끝난 것처럼 울다가, 한 시간 뒤에는 유튜브 보면서 깔깔 웃고 있었어요. 저 정신병 걸린 건가요?"

이런 질문을 받을 때마다 저는 이렇게 설명합니다. "네 뇌는 지금 엄청난 리모델링 공사 중이야. 마치 롤러코스터를 타고 있는 것처럼 느껴지는 게 당연해."

케이시와 존스 (Casey & Jones, 2020)의 연구는 사춘기 뇌의 독특한 특징을 자동차에 비유했습니다. 강력한 엔진(감정과 욕구)은 이미 설치되었는데, 브레이크(자기조절)는 아직 조립 중인 상태라고 말입니다. 17살 지은(가명)의 이야기입니다: "시험 기간인데 새로 나온 드라마가 너무 보고 싶었어요. '한 편만 볼래'하고 시작했다가 결국 밤새 정주행했죠. 뭔가 알면서도 멈출 수가 없었어요."

이것이 바로 '엔진과 브레이크의 불균형' 상태입니다. 학자들은 이런 현상은 완전히 정상적이며, 오히려 건강한 발달의 신호라고 말합니다.

슈밋(Schmitt, 2023)의 연구는 현대 청소년들이 직면한 독특한 도전을 보여줍니다. 특히 소셜미디어와 관련된 자기조절은 이전 세대가 경험하지 못한 새로운 과제입니다. 16살 수진(가명)이는 "인스타에 새 게시물 알림이 오면, 심장이 쿵쾅거려요. 보지 말아야 한다는 걸 알면서도 손가락이 저절로 움직여요. 숙제하다가도, 밥 먹다가도, 심지어 시험 보다가도요." 소셜미디어의 알림은 마치 우리 조상들이 위험이나 기회를 감지했을 때 느끼던 것과 같은 신경회로를 자극합니다. 말 그대로 '본능적인' 반응인 셈입니다.

사춘기 자녀들에게는 어떻게 말하는 것이 효과적일까요? "알아요"라는 말 대신 "이해하려고 노력하고 있어"라고 말해주세요. 사춘기 딸을 키우는 한 친구는 딸에게 '나는 너 나이 때 안그랬어'라고 했다가 큰 싸움이 났다고합니다. 이제는 '네 감정이 어떤지 이해하려고 노력하고 있어'라고 말하며 평화가 찾아왔다고 합니다.

또한 사춘기 자녀들의 '침묵의 시간'을 존중해주세요. 방에 틀어박혀 있는 시간도 중요한 자기조절의 시간일 수 있습니다.

사춘기의 자기조절은 확실히 어려운 과제입니다. 하지만 '불가능한 미션'은 절대 아닙니다. 오히려 이 시기는 자기조절 능력이 가장 극적으로 발달할 수 있는 황금기입니다.

제가 상담했던 한 친구가 졸업할 때 이런 말을 했습니다: "선생님, 제가 14살 때는 제 감정이 저를 조종하는 줄 알았어요. 근데 이제는 제가 제 감정을 이해하고 조절할 수 있다는 걸 알게 됐어요. 이게 제가 배운 가장 중요한 거예요."

이것이 바로 우리가 기다리고 희망하는 순간이 아닐까요?

참고문헌

Casey, B. J., & Jones, R. M. (2010). Neurobiology of the adolescent brain and behavior: implications for substance use disorders. Journal of the American Academy of Child & Adolescent Psychiatry, 49(12), 1189-1201.

Schmitt, A. P. (2023). Social media use in adolescence: Longitudinal relationships with social functioning and psychopathology (Doctoral dissertation, Eastern Michigan University).

PART 2
실전! 자기조절

제 4 장
일상에서의 자기조절 전략

습관과 루틴: 지루하지만 효과적인 비밀 무기

매일 아침 세 아이를 깨워 어린이집, 유치원, 학교에 각각 보내면서, 저는 종종 생각합니다. 이 반복되는 일상이 얼마나 지루한지, 그리고 동시에 얼마나 강력한지를. 심리학자로서, 그리고 엄마로서, 저는 습관과 루틴의 힘을 매일 목격합니다.

왜 습관이 비밀 무기일까요?

습관은 우리 뇌의 에너지를 절약해줍니다. 생각해보세요. 매일 아침 양치질을 할 때, 여러분은 특별히 의식적인 결정을 내리지 않습니다. 그냥 자연스럽게 하죠. 이것이 바로 습관의 마법입니다.

제 경우를 예로 들어보겠습니다. 전에는 매일 아침 "오늘은 운동할까 말까?" 하고 고민했습니다. 이 고민에만 엄청난 에너지가 소비되었죠. 하지만 이제는 달라졌습니다. 운동복을 베개 옆에 두는 단순한 습관 하나로, 아침 운동이 자연스러운 일과가 되었습니다.

습관 형성에는 세 가지 핵심 요소가 있습니다:

1. 신호 (Cue) 아침 알람 소리, 커피 향, 운동복의 존재 등이 될 수 있습니다.

2. 행동 (Routine) 실제로 하는 행동입니다. 예를 들어, 운동하기, 일기 쓰기 등이죠.

3. 보상 (Reward) 행동 후에 느끼는 성취감, 상쾌함 등입니다.

제 7살 첫째는 이것을 재미있게 표현했습니다: "아, 그래서 엄마가 숙제하고 나면 과자를 주는 거구나!" 네, 맞습니다. 그게 바로 보상이죠. 다음은 효과적인 루틴을 만드는 실전 전략입니다.

1. 미니멀 시작의 법칙

큰 변화를 작은 조각으로 나누세요. 예를 들어:

- "매일 2시간 공부하기" 대신 → "매일 5분이라도 책 펴기"
- "집 전체 청소하기" 대신 → "하나의 서랍 정리하기"
- "완벽한 식단" 대신 → "물 한 잔 더 마시기"

제 5살 둘째가 가르쳐준 지혜입니다: "엄마, 큰 퍼즐은 양쪽 구석부터 맞춘 다음 테두리를 맞추면서 한 조각씩 맞춰야 완성돼요!“

2. 환경 디자인의 힘

시간 낭비의 유혹에 빠지고 게으름을 유발하는 습관을 고치기위해 주변 환경을 바꾸어 봅니다.

- 스마트폰을 침실 밖에 두기
- 예쁜 입고싶은 운동복을 눈에 띄는 곳에 걸어두기

• 몸에 해로운 간식은 구매하지 말고 건강한 간식을 꺼내두기

제 3살 막내는 이렇게 말합니다: "아이스크림이 보이면 자꾸 먹고싶잖아!" 맞습니다. 어른도 마찬가지예요.

3. 연결고리 만들기

기존 습관에 새로운 습관을 연결하는 전략입니다.

• 커피 마실 때 → 하루 계획 세우기
• 양치할 때 → 스트레칭하기
• 아이들 숙제 체크할 때 → 독서하기

루틴이 깨졌도 괜찮습니다. 완벽한 루틴이란 없습니다. 중요한 건 다시 시작하는 것입니다. 작심삼일도 삼일마다 마음을 다잡으며 실천하면 삼십일이 되고 세 달이 됩니다.

1. 2일 규칙

절대 이틀 연속으로 루틴을 깨지 마세요. 하루는 실수할 수 있지만, 이틀은 새로운 습관이 될 수 있습니다.

2. 복구 계획 세우기

미리 "만약 ~라면" 계획을 세워두세요.

• "비가 오면 실내 운동으로 전환한다"
• "아침을 놓치면 점심에 챙긴다"
• "저녁 루틴을 못 지켰다면 다음 날 아침 일찍 시작한다“

매일의 작은 성공을 기록하세요. 제가 상담했던 한 내담자는 '습관 달력'을 만들었습니다. 매일 지킨 루틴에 체크표시를 하는 겁니다. 어린아이 같아 보일 수 있지만, 놀랍도록 효과적입니다.

현대 생활에서는 디지털 루틴도 중요합니다. 따라서 저는 다음과 같은 전략을 추천합니다.

- 이메일 확인 시간 정하기
- SNS 사용 시간 제한하기
- 알림 설정 최적화하기

제 경우, 매일 저녁 8시 이후에는 업무 이메일 확인을 하지 않는 루틴을 만들었습니다. 처음에는 불안했지만, 이제는 이 경계선이 제 정신 건강을 지켜주는 보호막이 되었습니다. 루틴을 친구나 가족과 함께하면 더욱 강력한 무기가 됩니다. 가족이 함께하는 루틴은 특별한 힘이 있습니다. 저희 가족은 다음과 같은 루틴을 실행하고 있습니다.

- 저녁 식사 시간에 하루 이야기 나누기
- 일요일 아침엔 서점이나 도서관갔다와서 브런치 먹기
- 잠들기 전 책 읽어주기

이런 루틴들은 단순한 습관 이상의 의미를 가집니다. 그것은 가족의 정체성이 되고, 추억이 되며, 안정감의 원천이 됩니다.

습관과 루틴은 확실히 지루할 수 있습니다. 하지만 그 지루함 속에 진정한 변화의 씨앗이 있습니다. 마치 대나무가 3년 동안 겉으로는 아무 변화 없이 땅속에서 뿌리를 내리다가, 어느 날 갑자기 폭발적으로 성장하는 것처럼요. 오늘부터 시작해보는 건 어떨까요? 아주 작은 것부터요. 어쩌면 그 작은 시작이, 여러분의 인생을 조용히, 하지만 확실하게 변화시키는 첫걸음이 될지도 모릅니다.

그리고 기억하세요. 완벽한 루틴을 만드는 것이 목표가 아닙니다. 더 나은 삶을 위한 디딤돌을 만드는 것이 목표입니다. 지금 이 순간에도, 여러분의 작은 습관들이 모여 미래의 큰 변화를 만들어 가고 있을 테니까요.

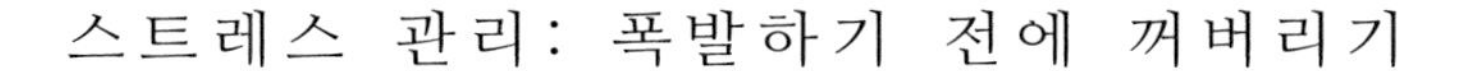

스트레스 관리: 폭발하기 전에 꺼버리기

어느 평범한 아침, 저는 세 아이를 데리고 등교 준비를 하고 있었습니다. 7살 첫째는 책가방을 싸느라 씨름 중이고, 5살 둘째는 아침을 먹기 싫다고 떼를 쓰고 있었죠. 그때 3살 막내가 우유를 엎었습니다. 순간 제 머릿속에서 무언가가 '틱'하고 울렸습니다. 마치 압력밥솥의 증기가 한계에 도달한 것 같은 느낌이었죠. 하지만 그때 문득 떠올랐습니다. "아, 이게 바로 내가 쓰고 있는 책의 그 순간이구나."

스트레스는 마치 서서히 끓고 있는 물과 같습니다. 처음에는 잔잔하다가, 조금씩 온도가 올라가고, 어느 순간 갑자기 끓어오르죠. 문제는 대부분의 사람들이 물이 완전히 끓어오를 때까지 기다린다는 것입니다. 하지만 그때는 이미 너무 늦었을 수 있습니다.

심리학자로서, 그리고 세 아이의 엄마로서, 저는 스트레스 관리가 얼마나 중요한지 매일 체감합니다. 특히 흥미로운 것은, 스트레스 자체가 문제가 아니라는 점입니다. 스트레스는 우리 몸의 자연스러운 반응입니다. 문제는 그것이 통제 불능이 되기 전에 어떻게 관리하느냐입니다.

첫째가 얼마 전 재미있는 말을 했습니다. "엄마, 나도 화가 날 때가 있어요. 근데 그때 내 머릿속에 작은 소방관이 있다고 상상해요. 그 소방관이 물을 뿌려서 불을 끄는 거예요!" 이 단순한 이야기에 놀라운 지혜가 담겨있다고 생각했습니다. 스트레스 관리란 바로 이런 것입니다. 우리 각자의 내면에 '작은 소방관'을 두는 것입니다

스트레스의 신호를 알아채는 것이 첫 번째 단계입니다. 우리 몸은 스트레스를 여러 가지 방법으로 알려줍니다. 어깨가 뭉치거나, 두통이 오거나, 갑자기 짜증이 나거나 이런 신호들을 무시하는 것은 마치 자동차의 경고등을 무시하는 것과 같습니다. 잠시는 괜찮을 수 있지만, 결국에는 더 큰 문제가 됩니다.

제 경우, 스트레스가 쌓이면 메스꺼움을 느낍니다. 이제는 이 신호를 알아차리면 즉시 '긴급 정비'에 들어갑니다. 심호흡을 하고, 잠시 하던 일을 멈추고, 따뜻한 물을 한 잔 마시죠. 이런 작은 습관들이 큰 폭발을 예방합니다.

둘째는 얼마 전 유치원에서 동그란 보라색 매트를 가져와 '마음 매트로 마음다스리기' 방법을 저에게 가르쳐주었습니다. "엄마, 화나면 천천히 숨을 쉬고 이 마음 매트에 앉아보세요. 마음이 편안해진대요!" 이 단순한 방법이 놀랍도록 효과적이라는 것을 발견했습니다. 스트레스 관리는 때로는 이렇게 단순한 것에서 시작됩니다.

일상에서 실천할 수 있는 스트레스 '소화제'들이 있습니다. 저는 이것을 '5-5-5 법칙'이라고 부릅니다. 하루에 5분씩, 5가지 다른 방법으로, 5번 나누어 스트레스를 해소하는 겁니다. 예를 들면, 아침에 5분 스트레칭, 아침에 5분 집정리, 점심 시간에 5분 명상, 오후에 5분 산책, 저녁에 5분 일기 쓰기, 잠들기 전 5분 감사 일기 쓰기 등입니다.

특히 중요한 것은 '미리 예방하기'입니다. 마치 감기 예방주사를 맞는 것처럼, 스트레스도 예방이 가능합니다. 예를 들어, 저는 매주 일요일 저녁에 다음 주 일정을 검토하고 잠재적인 스트레스 포인트를 체크합니다. 세 아이의 학교 행사가 겹치는 날이 있다면, 미리 도움을 요청할 수 있는 사람들, 주로 저희 친정 부모님을 섭외해두는 식입니다.

또한 스트레스 해소에는 '깨진 유리창 법칙'을 적용하는 것이 좋습니다. 작은 스트레스라도 방치하면 더 큰 문제가 됩니다. 막내가 블록을 가지고 노는 것을 보면서 깨달았습니다. 한 블록이 살짝 비뚤어져 있으면, 그 위에 쌓는 모든 블록이 불안정해집니다.

스트레스 관리에서 가장 어려운 것은 아마도 '아니오'라고 말하는 법을 배우는 것일 겁니다. 저는 오랫동안 모든 것을 완벽하게 해내려고 노력했습니다. 완벽한 엄마, 완벽한 교수, 완벽한 연구자이자 작가이자 상담사가 되려고 했습니다. 하지만 이제는 압니다. 그것이 가장 큰 스트레스의 원인이었다는 것을요.

마지막으로, 스트레스 관리에서 가장 중요한 것은 자기 자신에 대한 이해입니다. 각자의 스트레스 '방아쇠'가 다르고, 각자의 해소 방법도 다릅니다. 중요한 것은 자신만의 방법을 찾아가는 과정입니다. 그리고 그 과정에서 실수하는 것도, 때로는 폭발하는 것도 괜찮습니다. 그것 또한 배움의 일부니까요.

오늘도 어딘가에서 누군가가 스트레스로 인해 끓어오르고 있을 것입니다. 하지만 기억하세요. 물은 100도에서 끓지만, 99도에서는 아직 끓지 않습니다. 그 1도의 차이를 만드는 것, 그것이 바로 스트레스 관리의 핵심입니다.

자, 이제 여러분의 내면의 소방관을 찾아볼 시간입니다. 그리고 기억하세요. 완벽한 스트레스 관리란 없습니다. 다만 오늘 하루, 어제보다 조금 더 나은 방법으로 스트레스를 다루는 법을 배워가는 것. 그것으로 충분합니다.

자기조절 근육 키우기

오늘 아침, 평소처럼 6시 30분에 알람이 울렸습니다. 몸은 "5분만 더..."를 외쳤지만, 이번에는 달랐습니다. 알람 소리와 동시에 일어났죠. 세 아이의 엄마이자 심리학자로서, 저는 이 작은 승리의 의미를 잘 알고 있습니다. 자기조절력이라는 근육이 조금씩 강해지고 있다는 증거니까요.

뮤라벤과 바우마이스터(Muraven & Baumeister, 2000)에 의하면 자기조절력은 실제로 근육과 매우 비슷합니다. 사용하면 강해지고, 과도하게 사용하면 피로해지며, 적절한 휴식이 필요합니다. 하지만 헬스장 등록은 필요 없습니다. 우리의 일상이 바로 최고의 자기조절력 훈련장이니까요. 저는 집에서도 자기조절이라는 단어를 자주 사용하고 그것이 무엇인지 3살 막내에게도 알려줍니다.

7살 첫째가 얼마 전 재미있는 질문을 했습니다. "엄마, 자기조절력이 진짜 근육이에요? 그럼 팔에 있어요, 다리에 있어요?" 이 질문은 의외로 깊은 통찰을 담고 있습니다. 자기조절력은 보이지 않지만, 마치 근육처럼 특정 부위에서 작동합니다. 바로 우리 뇌의 전전두엽입니다.

자기조절력 훈련의 가장 큰 오해는 '크게 시작해야 한다'는 것입니다. 마치 운동을 시작하면서 첫날부터 무거운 중량을 들려고 하는 것과 같죠. 5살 둘째는 이것을 아주 잘 이해하고 있습니다. "엄마, 책 여러 권은 한 번에 못옮겨요. 한 권씩 여러 번 옮기면 돼요!" 맞습니다. 자기조절력도 마찬가지입니다.

자기조절력 훈련의 첫 번째 규칙은 '미니멀 시작'입니다. 예를 들어, "하루 2시간 공부하기"가 아니라 "책상에 앉아있기 5분"부터 시작하는 겁니다. 이것은 실패 확률을 줄이고, 성공 경험을 쌓게 해줍니다. 성공 경험은 자기조절력 근육을 키우는 최고의 영양제입니다.

둘째 규칙은 '자기조절력 예산 관리'입니다. 우리의 자기조절력은 하루에 정해진 양만큼만 사용할 수 있습니다. 마치 휴대폰 배터리처럼요. 3살 막내는 이것을 본능적으로 알고 있는 것 같습니다. 피곤할 때는 절대로 새로운 것을 시도하지 않으려 하거든요.

이런 자기조절력 예산을 효율적으로 사용하는 방법이 있습니다. 저는 이것을 '자기조절력 투자 전략'이라고 부릅니다. 가장 중요한 일을 자기조절력이 가장 충만한 시간에 배치하는 겁니다. 저의 경우는 아침 시간입니다. 그래서 중요한 논문 작업은 반드시 아침에 합니다.

셋째 규칙은 '작은 승리의 축적'입니다. 매일의 작은 성공들이 모여서 자기조절력 근육을 키웁니다. 이것을 기록하는 것도 중요합니다. 저는 '성공 일기'를 씁니다. 하루 동안의 작은 승리들을 기록하는 겁니다. "오늘은 SNS 확인을 세 번으로 줄였다", "술 대신 녹차를 선택했다" 같은 것들입니다.

넷째 규칙은 '실패를 예상하고 계획하기'입니다. 자기조절력 근육도 때로는 피로해집니다. 중요한 것은 이런 순간을 예상하고 대비하는 것입니다. 예를 들어, 저는 피곤할 때 야식을 시키고 과식하는 경향이 있다는 것을 알게 되었습니다. 그래서 이제는 피곤한 날에는 미리 건강한 간식을 준비해둡니다.

다섯째 규칙은 '환경 설계'입니다. 자기조절력을 덜 쓰도록 환경을 만드는 것입니다. 예를 들어, 스마트폰을 침실에 두지 않기, 과자를 눈에 띄지 않는 곳에 보관하기 같은 것들입니다. 이것은 자기조절력 근육을 보호하는 방법입니다.

여섯째 규칙은 '자기조절력 회복 전략'입니다. 운동 후 휴식이 필요하듯, 자기조절력도 회복이 필요합니다. 저는 이것을 '자기조절력 충전소'라고 부릅니다. 잠깐의 명상, 짧은 산책, 깊은 호흡 같은 것들이 자기조절력을 재충전하는 데 도움이 됩니다.

마지막으로, 가장 중요한 규칙은 '자기 연민'입니다. 자기조절력이 부족해서 실패했을 때, 자신을 너무 몰아세우지 마세요. 그것은 마치 근육통이 있는데 무리하게 운동하는 것과 같습니다. 대신 "오늘은 여기까지. 내일 다시 시작하자"라고 자신에게 말해주세요.

자기조절력 근육 키우기는 마라톤과 같습니다. 단거리 달리기처럼 속도를 내는 것이 아니라, 천천히 그리고 꾸준히 진행되어야 합니다. 그리고 때로는 걷는 것도 괜찮습니다. 중요한 것은 멈추지 않는 것이니까요.

오늘도 어딘가에서 누군가가 자기조절력 근육을 키우고 있을 것입니다. 어쩌면 작은 유혹을 이기고 있을지도 모르고, 새로운 습관을 만들어가고 있을지도 모릅니다. 그들에게, 그리고 여러분에게 말씀드리고 싶습니다.

"당신의 자기조절력 근육은 지금 이 순간에도 조금씩 강해지고 있습니다. 비록 눈에 보이지 않더라도, 분명히 성장하고 있습니다. 그러니 너무 서두르지 마세요. 그저 오늘 하루, 작은 승리를 만드는 것에 집중해보세요. 그것이 바로 자기조절력 근육을 키우는 가장 확실한 방법입니다."

참고문헌

Muraven, M., & Baumeister, R. F. (2000). Self-regulation and depletion of limited resources: Does self-control resemble a muscle?. Psychological bulletin, 126(2), 247-259.

제 5 장
자녀에게 자기조절력 키워주기
(배우자에게도 사용 가능)

부모님을 위한 '아이 안 미치게 하는 법' (배우자 버전도 포함!)

세 아이를 키우는 심리학자로서, 저는 종종 이런 농담을 합니다. "아이를 키우면서 미치지 않는 것, 그것이 진정한 자기조절이다." 사실 이 말은 반은 농담이고 반은 진심입니다. 그리고 재미있게도, 이 원리는 배우자에게도 놀랍도록 잘 적용됩니다.

얼마 전 있었던 일입니다. 아침부터 세 아이가 난리법석을 피우는 와중에, 남편이 "내 핸드폰 충전기 어디 있어?"라고 물었습니다. 그것도 세 번째로요. 그 순간 제 머릿속에서 뭔가가 '스파크'를 일으키려 했습니다. 하지만 곧 깨달았죠. '아, 이것도 육아의 연장선이구나.'

자녀와 배우자를 대하는 기술은 놀랍도록 비슷합니다. 예를 들어볼까요? "신발 신어!"라고 열 번 외치는 대신, "신발을 신으면 공원에 갈 수 있어"라고 말하는 것이 효과적입니다. 마찬가지로 "당신 양말 좀 주워!"라고 잔소리하는 대신, "양말을 세탁바구니에 넣으면 당신이 더 멋져 보여요"라고 말하는 거죠. (진심은 아닙니다...)

이제 진지하게, 아이들과 배우자를 '안 미치게' 하는 실용적인 전략들을 살펴보겠습니다.

첫째, '선택권 주기' 전략입니다. 아이에게 "지금 당장 정리해!"가 아니라 "10분 안에 정리할래, 아니면 15분 안에 할래?"라고 물어보는 것처럼, 배우자에게도 적용할 수 있습니다. "설거지 지금 할래요, 아니면 내일 아침에 할래요? 당신이 편한 대로 해요." (물론 결국 제가 하게 되는 경우가 많지만요.)

둘째, '긍정적 강화' 전략입니다. 아이가 스스로 신발을 신었을 때 "우와, 혼자서 다 했네!"라고 칭찬하는 것처럼, 남편이 설거지를 했을 때도 "여보, 당신이 설거지하니까 내가 한 것보다 그릇이 훨씬 더 깨끗해!"라고 말해보세요. (진심을 담아서요!)

셋째, '타이밍 잡기' 전략입니다. 아이가 배고프거나 피곤할 때 새로운 것을 가르치려 하지 않는 것처럼, 배우자가 피곤해 보일 때는 부탁을 하지 않는 거죠. 모든 것은 타이밍입니다.

넷째, '미리 예방하기' 전략입니다. 외출 전에 아이의 간식을 챙기는 것처럼, 남편이 일찍 출근하는 날 아침에는 미리 집을 치워놓고 기분좋은 아침을 맞게 해주는 겁니다. 예방이 치료보다 낫습니다.

다섯째, '감정 인정하기' 전략입니다. "아이고, 힘들었겠다"라는 한마디가 얼마나 강력한지 아시나요? 이것은 아이에게도, 배우자에게도 마법처럼 작동합니다.

여섯째, '분노 관리' 전략입니다. 아이가 말을 안 들을 때 심호흡을 하는 것처럼, 남편이 양말을 또 바닥에 벗어둘 때도 심호흡이 필요합니다. 깊은 심호흡 세 번이면 대부분의 사소한 짜증은 사라집니다.

일곱째, '유머 사용하기' 전략입니다. 긴장된 상황에서 웃음은 최고의 해결사입니다. "여보, 당신의 양말이 또 탐험을 떠났네요. 이번엔 어디까지 갔을까요?"

여덟째, '명확한 기대치 설정' 전략입니다. 아이에게 "조용히 해"가 아니라 "도서관에서는 작은 목소리로 이야기하자"라고 말하는 것처럼, 배우자에게도 "좀 도와줘"가 아니라 "설거지와 빨래 중에 하나만 해주면 좋겠어요"라고 구체적으로 말하는 거죠.

아홉째, '자기 관리' 전략입니다. 화가 날 때는 잠시 자리를 피하는 것이 현명합니다. "엄마 잠깐 쓰레기 버리고 올게!" 이라는 말은 우리 집의 마법의 주문이 되었습니다.

마지막으로, '감사함 표현하기' 전략입니다. 작은 것에도 감사를 표현하면, 그 행동은 더 자주 반복됩니다. 이것은 아이에게도, 배우자에게도 똑같이 적용됩니다.

이 모든 전략의 핵심은 결국 '이해와 존중'입니다. 아이들도, 배우자도, 그리고 우리 자신도 완벽할 수 없습니다. 중요한 것은 서로를 이해하고 존중하면서, 조금씩 더 나은 방향으로 나아가는 것이죠.

그리고 마지막으로 가장 중요한 것. 때로는 그냥 웃어넘기는 것입니다. 우리 막내가 우유를 엎었을 때, 남편이 양말을 또 바닥에 벗어둘 때, 잠깐 눈을 감고 생각해보세요. "10년 후에 이 순간을 떠올리면, 이게 그렇게 큰 문제였을까?"

결국 가장 중요한 것은 사랑입니다. 사랑이 있으면 미치지 않을 수 있고, 미치지 않으면 더 사랑할 수 있습니다. 이것이 바로 '애 안 미치게 하는 법'의 궁극적인 비밀이자, 행복한 결혼 생활의 비결이기도 합니다. 저도 성공했다고는 말씀드리기 어렵지만 말입니다.

학교에서 살아남기: 선생님과 학생을 위한 팁

학교는 흥미로운 생태계입니다. 한쪽에는 과제 제출을 미루고 싶은 학생들이, 다른 한쪽에는 그것을 제때 받고 싶은 선생님들이 있죠. 심리학자이자 세 아이의 엄마로서, 저는 이 두 관점을 모두 이해합니다. 게다가 대학에서 강의도 하다 보니, 이 미묘한 균형의 세계를 더욱 깊이 이해하게 되었습니다.

먼저 학생들의 입장에서 시작해보겠습니다. 학생들을 위한 자기조절의 첫 번째 비밀은 '시작하기'입니다. 가장 어려운 것이 바로 시작인데, 이를 위한 특별한 전략이 있습니다. 저는 이것을 '5분의 마법'이라고 부릅니다. "그래, 딱 5분만 공부해보자"라고 자신과 약속하는 거죠. 보통은 5분을 넘어서게 됩니다. 시작이 반이니까요.

두 번째 비밀은 '작은 단위로 나누기'입니다. 큰 과제가 있다면, 그것을 작은 조각들로 나누는 겁니다. 예를 들어, "수학 전체 복습"이 아니라 "오늘은 2단원의 첫 번째 파트만"으로 시작하는 겁니다.

선생님들을 위한 조언도 있습니다. 학생들의 자기조절을 돕는 것은 마치 정원을 가꾸는 것과 같습니다. 너무 강하게 밀어붙이면 식물이 시들 수 있고, 너무 방치하면 잡초가 자랄 수 있듯 적절한 균형이 필요합니다.

교실에서 효과적인 자기조절 전략 중 하나는 '선택권 주기'입니다. 예를 들어, "이 과제는 반드시 내일까지 해야 해"가 아니라, "목요일까지 하고 싶은 사람, 금요일까지 하고 싶은 사람 선택해보세요"라고 하는 거죠. 이렇게 하면 학생들은 자신의 페이스를 조절할 수 있습니다.

또 다른 중요한 전략은 '작은 성공 만들기'입니다. 학생이 조금이라도 진전을 보이면 그것을 인정해주는 것이죠. "어제보다 문제를 더 많이 풀었네요"라는 말 한마디가 학생의 자신감을 크게 높일 수 있습니다.

학교 생활에서 중요한 또 다른 요소는 '루틴 만들기'입니다. 예측 가능한 일과는 자기조절을 훨씬 쉽게 만듭니다. 막내의 어린이집에서는 매일 아침 '기분 나누기' 시간을 갖는데, 이것이 아이들의 감정 조절에 큰 도움이 될 수 있습니다.

디지털 시대의 특별한 도전도 있습니다. 스마트폰과 태블릿의 유혹은 정말 강력합니다. 일정 시간 동안 모든 기기를 한쪽에 모아두고, 그 시간을 집중의 시간으로 활용할 수 있습니다.

그리고 가장 중요한 것은 '실수를 배움의 기회로 만들기'입니다. 실수나 실패는 자기조절을 배우는 가장 좋은 교재가 될 수 있습니다. "왜 이렇게 됐을까?", "다음에는 어떻게 하면 좋을까?"라는 질문을 통해 성장의 기회로 만드는 것입니다.

대학교 강의인 '현대사회와 심리학'을 가르치면서 저는 학생들에게 자신의 스트레스 해소 방법을 공유하게 합니다. 이것은 서로에게 배움이 되고, 동시에 스트레스 해소에도 도움이 됩니다.

마지막으로, '성공 일기'를 쓰는 것을 추천합니다. 매일 작은 성공이라도 기록하는 것입니다. "오늘은 수학 문제 하나를 혼자 풀었다", "발표 때 떨리는 목소리를 조절했다" 같은 것들입니다. 이런 기록이 쌓이면 놀라운 자신감의 원천이 됩니다.

학교는 단순히 지식을 배우는 곳이 아닙니다. 그것은 자기조절을 배우는 가장 중요한 훈련장이기도 합니다. 선생님과 학생 모두가 이 점을 이해하고, 서로를 돕는다면, 학교는 더욱 풍요로운 배움의 장이 될 것입니다. 완벽한 자기조절이란 없습니다. 중요한 것은 매일 조금씩 나아지려 노력하는 것, 그리고 그 과정에서 서로를 이해하고 격려하는 것입니다. 그것이 바로 학교에서 진정으로 '살아남는' 방법이 아닐까요?

실제사례: 우리 아이가 달라졌어요

심리학자로서, 그리고 세 아이의 엄마로서, 저는 종종 작은 기적들을 목격합니다. 오늘은 제가 경험하고 관찰한 실제 변화 사례들을 여러분과 나누고 싶습니다. 물론 개인정보 보호를 위해 이름과 세부 사항은 변경했습니다.

첫 번째는 '게임 중독' 전쟁에서 승리한 민준이(11세)의 이야기입니다. 민준이 어머니는 처음 상담실을 찾아왔을 때 거의 눈물을 흘리실 것 같았습니다. "선생님, 우리 애가 게임만 하려고 해요. 밥도 안 먹으려고 하고, 학교도 가기 싫어해요." 저는 게임을 완전히 금지하는 대신, 민준이가 직접 자신의 게임 시간 규칙을 설계하도록 도왔습니다. 처음에는 터무니없는 제안을 했습니다. "하루 8시간!"이라고요. 하지만 우리는 차근차근 협상했습니다. "게임을 하면서 동시에 이루고 싶은 다른 목표들도 있을 텐데, 그것들을 위한 시간은 언제 만들까?" 이런 대화를 통해 민준이는 스스로 현실적인 규칙을 만들어갔습니다. 한 달 후, 민준이 어머니가 놀란 목소리로 전화를 주셨습니다.
"선생님, 믿기지 않아요. 민준이가 스스로 알람을 맞추고 게임을 끝내요. 심지어 어제는 '엄마, 나 오늘 숙제 먼저 하고 게임할게'라고 하더라고요!"

두 번째는 '분노 폭발'로 고민하던 세희(9세)의 변화입니다. 세희는 작은 일에도 크게 화를 내고, 물건을 던지거나 동생을 때리기도 했습니다. 우리는 '감정 탐정' 게임을 시작했습니다. 화가 날 때마다 그 감정의 진짜 원인을 찾아가는 거죠. 세희는 자신만의 '분노 일기'를 만들었습니다. 일기장에 "나는 지금 ○○해서 화가 났다"라고 쓰는 겁니다. 점차 세희는 자신의 감정 패턴을 발견하기 시작했습니다. "선생님, 제가 알았어요. 저는 배고플 때 더 쉽게 화가 나는 것 같아요. 그리고 동생이 제 물건을 만질 때도요." 이런 깨달음은 큰 변화를 가져왔습니다. 세희는 이제 화가 나기 시작하면 "잠깐, 내가 지금 배고픈가?"라고 자문합니다.

세 번째는 '완벽주의'로 고민하던 지우(13세)의 사례입니다. 지우는 모든 것을 완벽하게 하려다가 오히려 아무것도 시작하지 못하는 상태였습니다. 숙제도 완벽하게 할 자신이 없으면 아예 시작을 못했죠. 저는 '실수 자랑하기' 프로젝트를 제안했습니다. 매일 저녁 가족들과 모여 그날 한 실수를 자랑스럽게 발표하는 겁니다. 처음에 지우는 이 아이디어를 이상하게 생각했습니다. 하지만 점차 재미를 느끼기 시작했죠. "오늘 저는 수학 문제를 세 번이나 틀렸어요. 하지만 덕분에 새로운 풀이 방법을 배웠답니다!" 이런 식으로 실수를 학습의 기회로 받아들이기 시작했습니다.

네 번째는 '과제 미루기'의 달인이었던 태우(15세)의 이야기입니다. 태우는 모든 것을 마지막 순간으로 미루다가 결국 포기하곤 했습니다. 우리는 '타임머신 게임'을 시작했습니다. 미래의 자신에게 편지를 쓰고, 또 과거의 자신에게서 편지를 받는 상상을 하는 겁니다. "3일 후의 태우야, 지금 시작하지 않으면 넌 또 밤새워야 할 거야." 이런 식의 메시지를 자신에게 보내면서, 태우는 점차 시간 관리의 중요성을 깨달았습니다. 특히 효과적이었던 것은 '15분 규칙'이었습니다. 무슨 일이든 일단 15분만 하기로 약속하는 거죠.

마지막으로, 소심했던 예린이(8세)의 변신 이야기입니다. 예린이는 친구들과 어울리는 것을 무서워했습니다. 우리는 '용기 포인트' 시스템을 만들었습니다. 작은 용기를 낼 때마다 포인트를 얻는 거죠. "안녕하세요"라고 먼저 인사하기, 수업 시간에 손들기 같은 작은 것들부터 시작했습니다. 예린이는 이전보다 적극적인 아이로 변했습니다.

이러한 변화들의 공통점은 무엇일까요? 그것은 바로 '작은 시작'입니다. 거대한 변화를 한 번에 이루려 하지 않았죠. 대신 아주 작은 것부터 시작했습니다. 그리고 그 작은 변화들이 쌓이고 쌓여 마침내 "우리 애가 달라졌어요!"라는 감탄을 이끌어냈습니다. 변화는 마치 봄에 피는 꽃과 같습니다. 하루아침에 피지 않습니다. 조용히, 그리고 천천히 준비하다가 어느 순간 우리 앞에 아름다운 모습을 드러내죠. 부모로서, 교육자로서 우리가 할 일은 그 과정을 믿고 기다리며, 적절한 때에 적절한 도움을 주는 것뿐입니다.

여러분의 아이도 지금 이 순간 어딘가에서 조금씩 변화하고 있을 것입니다. 때로는 너무 느리게 보일 수도 있고, 때로는 제자리걸음을 하는 것처럼 보일 수도 있습니다. 하지만 믿으세요. 모든 아이에게는 변화의 봄이 찾아옵니다. 우리가 해야 할 일은 그저 그 봄을 기다리며, 따뜻한 햇살이 되어주는 것뿐입니다.

제 6 장

자기조절을 방해하는 것들

흔한 장애물들
(맥주, 넷플릭스, 그리고 게으름)

세 아이를 키우는 심리학자로서, 저는 매일 밤 특별한 전투를 벌입니다. 아이들을 재우고 난 후의 '나만의 시간', 그 달콤하고도 위험한 순간이죠. 한 손에는 맥주가, 다른 손에는 리모컨이 들려있는 자신을 발견하는 그 순간, 저는 다시 한 번 자기조절의 영원한 적들과 마주하게 됩니다.

자기조절의 적들은 놀랍도록 교활합니다. 그들은 결코 정면으로 공격해오지 않습니다. 대신 달콤한 속삭임으로 다가옵니다. "하루 종일 열심히 했잖아", "이 정도는 괜찮아", "내일부터 시작하면 돼" 이런 달콤한 독백들이 우리의 방어선을 무너뜨립니다.

가장 흔한 적들을 하나씩 살펴보겠습니다. 먼저 '맥주'(혹은 와인)로 대표되는 즉각적인 만족의 유혹입니다. 우리의 뇌는 수백만 년의 진화 과정에서 '지금 당장의 보상'을 선호하도록 프로그래밍되었습니다. 이는 생존에 유리했기 때문이죠. 하지만 현대 사회에서 이런 즉각적 만족 추구는 종종 문제가 됩니다.

예를 들어, 제 경우 늦은 밤 시원한 맥주 한캔의 유혹은 거의 신체적인 느낌으로 다가옵니다. 심장이 빨리 뛰고, 입에 침이 고이며, 마치 맥주가 저를 부르는 것 같은 착각마저 듭니다. 이런 순간에 저는 '15분 규칙'을 적용합니다. "15분만 기다려보자. 그래도 먹고 싶으면 먹자"라고요. 놀랍게도, 대부분의 경우 15분 후에는 그 강렬한 욕구가 사라져 있습니다.

두 번째 적은 '넷플릭스'로 대표되는 디지털 유혹입니다. "한 편만 더"의 마법은 정말 강력합니다. 특히 자동 재생 기능은 우리의 의사 결정 과정을 완전히 무력화시킵니다. 다음 편이 시작되기 전의 그 10초, 우리는 마치 최면에 걸린 것처럼 아무 생각 없이 다음 편을 보게 되죠.

이에 대한 해결책으로 저는 '미리 결정하기' 전략을 사용합니다. 시청을 시작하기 전에 "오늘은 딱 두 편만 볼 거야"라고 선언하는 거죠. 그리고 이 약속을 지키기 위해 타이머를 설정합니다. 타이머가 울리면, 그것은 마치 극장에서 불이 켜지는 것과 같은 신호가 됩니다.

세 번째이자 가장 교활한 적은 바로 '게으름'입니다. 게으름은 종종 합리화의 천재로 변장합니다. "지금은 컨디션이 안 좋으니까", "내일 더 완벽하게 하자", "쉬어야 더 효율적일 거야" 등의 그럴듯한 변명들을 만들어냅니다.

제가 이 책을 쓰는 과정에서도 게으름은 끊임없이 저를 유혹했습니다. 특히 마감일이 여유로울 때, 게으름은 더욱 설득력 있게

다가옵니다. "여유 있잖아", "천천히 해도 돼" 하지만 이것이 함정이라는 것을 깨달았습니다.

게으름을 극복하는 가장 효과적인 방법은 '시작의 장벽을 낮추기'입니다. "2시간 동안 글을 쓰자"가 아니라, "일단 컴퓨터를 켜고 5분만 앉아있자"로 시작하는 거죠. 일단 시작하면, 우리의 뇌는 놀랍게도 계속하고 싶어 합니다.

이러한 적들에 대항하는 데 있어 중요한 것은 그들의 존재를 인정하는 것입니다. 우리는 완벽할 수 없고, 때로는 유혹에 넘어갈 수밖에 없습니다. 중요한 것은 다시 일어서는 것입니다.

특히 재미있는 것은 이러한 적들이 때로는 우리의 동맹이 될 수도 있다는 점입니다. 예를 들어, 넷플릭스 시청을 운동과 연결시키는 겁니다. "러닝머신 위에서만 드라마를 본다"는 규칙을 정하면, 오히려 운동이 기다려지게 됩니다.

자기조절의 적들을 대하는 최고의 전략은 '전부 아니면 전무'의 접근을 피하는 것입니다. 완전한 절제보다는 현명한 조절이 더 효과적입니다. 가끔은 맥주를 마셔도 괜찮고, 가끔은 넷플릭스도 봐도 괜찮습니다. 중요한 것은 그것이 예외가 아닌 일상이 되지 않도록 하는 것이죠.

마지막으로, 가장 중요한 것은 자기 이해입니다. 언제, 어떤 상황에서 이러한 유혹들이 가장 강하게 다가오는지 파악하는 것이죠. 저의 경우, 스트레스를 받았을 때 특히 술의 유혹이 강해진다는 것을 알게 되었습니다. 이런 자기 이해는 더 나은 대처 전략을 세우는 데 도움이 됩니다.

우리는 모두 이러한 적들과 매일 싸우고 있습니다. 때로는 이기고, 때로는 지면서 말입니다. 하지만 기억하세요. 완벽한 승리가 목표가 아닙니다. 조금 더 나은 선택을 하는 것, 그것이 진정한 목표입니다.

그리고 지금 이 글을 쓰면서도, 제 옆에는 맥주 한 캔이 놓여있습니다. 하지만 이제 저는 압니다. 그것이 거기 있다는 것을 인정하고, 제가 언제 그것을 먹을지 선택할 수 있다는 것을요. 그것이 바로 진정한 자기조절의 시작입니다.

또래압박 이겨내는 법
(그냥 아니!라고 말하기)

세 아이를 키우면서 저는 또래 압박이 얼마나 강력한 힘을 가지고 있는지 매일 목격합니다. 특히 첫째가 최근 겪은 일화가 떠오르네요. 반 친구들이 핸드폰을 가지고 있다며 본인도 그것이 절실히 필요하다고 주장했습니다. "나만 없단 말이에요!"

또래 압박은 마치 보이지 않는 중력과 같습니다. 끊임없이 우리를 특정한 방향으로 끌어당깁니다. 재미있는 것은 이런 압박이 나이를 가리지 않는다는 점입니다. 어른들도 마찬가지입니다. "다들 요즘 특정 브랜드의 가방을 산다는데", "요즘 다들 그 영어유치원에 다닌대요" 이런 말들이 익숙하지 않나요?

또래 압박에 대한 가장 큰 오해는 그것이 항상 나쁘다고 생각하는 것입니다. 때로는 긍정적인 압박도 있습니다. 예를 들어, 반 친구들이 모두 독서를 열심히 하거나, 환경 보호 활동을 하는 경우처럼요. 문제는 이 압박을 어떻게 현명하게 다루느냐입니다.

장기적으로 나에게 도움이 되지 않는 또래 압박에 대하여 '아니!' 라고 말하는 것은 기술입니다. 마치 악기를 다루는 것처럼 연습이 필요합니다. 특히 '지연된 대답' 전략은 효과적입니다. "지금 바로 대답하지 않아도 돼. 내일 다시 이야기하자"라는 식으로요. 이 작은 시간 차이가 현명한 판단을 가능하게 만듭니다.

둘째의 경험도 재미있는 교훈을 줍니다. 친구들이 모두 포켓몬 게임을 한다고 조르자, 둘째는 의외의 대답을 했습니다. "나는 집에서 형이랑 하는 보드 게임이 더 재미있어!" 이것은 또래 압박에 대처하는 훌륭한 방법 중 하나입니다. 단순히 거절하는 것이 아니라, 자신만의 대안을 제시하는 겁니다.

특히 10대들을 위한 특별한 조언이 있습니다. SNS에서 오는 압박은 더욱 강력할 수 있기 때문입니다. '좋아요' 숫자, 팔로워 수, 댓글 과 같은 것들이 끊임없이 비교와 압박을 만들어냅니다. 이때 필요한 것은 '디지털 휴식'입니다. 하루에 몇 시간은 완전히 오프라인 상태가 되어보는 겁니다.

부모님들을 위한 조언도 있습니다. 자녀가 또래 압박으로 고민할 때, 단순히 "신경 쓰지 마"라고 말하는 것은 도움이 되지 않습니다. 대신 자녀의 감정을 인정하고, 함께 해결책을 찾아보세요. "그런 상황이 힘들었겠구나. 우리 같이 다른 방법을 생각해볼까?"

또래 압박을 이겨내는 가장 강력한 무기는 자존감입니다. 누군가의 의견에 휘둘리지 않을 만큼 자신을 믿고 사랑하는 것입니다. 이것은 하루아침에 생기는 것이 아닙니다. 작은 성공과 긍정적인 경험들이 쌓여야 합니다.

마지막으로, '아니!'를 말할 때는 반드시 대안이 필요한 것은 아니라는 점을 기억하세요. 때로는 단순히 "아니요, 괜찮습니다"만으로도 충분합니다. 그 자체로 하나의 완성된 문장이니까요.

우리는 모두 또래 압박과 함께 살아갑니다. 그것을 완전히 피할 수는 없지만, 현명하게 다룰 수는 있습니다. 중요한 것은 자신의 목소리를 잃지 않는 것, 그리고 그 과정에서 진정한 자신을 발견하는 것입니다.

가끔은 '튀는 것'이 멋질 수 있습니다. 모든 사람이 같은 길을 걸을 필요는 없으니까요. 때로는 '아니오'라고 말하는 용기가 새로운 길을 만들어내기도 합니다.

결국 또래 압박은 우리가 어떻게 대처하느냐에 따라 성장의 기회가 될 수도, 스트레스의 원인이 될 수도 있습니다. 선택은 우리의 몫입니다. 그리고 그 선택을 돕는 첫 번째 단어가 바로 '아니!'라는 것을 기억하세요.

동기부여

침대에서 일어나는 마법의 주문

아침 6시, 알람이 울립니다. "오늘은 꼭 운동하자"라고 다짐했던 저는 여전히 천근만근한 몸을 침대에서 일으킬 수가 없습니다. 세 아이의 엄마이자 심리학자로서, 저는 이런 상황이 얼마나 보편적인지 잘 알고 있습니다. 동기부여는 마치 마법과 같아서, 알고 있다고 해서 반드시 쓸 수 있는 것은 아니니까요.

동기부여의 가장 큰 오해는 그것이 의지력에서 나온다고 생각하는 것입니다. 실제로 동기부여는 더 과학적이고 체계적인 과정입니다. 마치 자동차를 시동걸고 움직이는 것처럼, 특정한 단계와 조건이 필요합니다.

제 연구실을 방문한 한 학생은 이렇게 말했습니다. "교수님, 저는 매일 아침 '오늘부터 열심히 살자'고 다짐해요. 하지만 생각만 그렇고 실패해요." 이 말에 얼마나 많은 사람들이 공감할까요?

동기부여의 첫 번째 비밀은 '미니멀 시작'입니다. 우리 뇌는 거대한 목표 앞에서 쉽게 압도됩니다. "30분 운동하기" 대신 "예쁜 운동복 입기"부터 시작하세요. 이것은 제가 '5초 규칙'이라고 부르는 것과 연결됩니다. 5초 안에 할 수 있는 작은 행동부터 시작하는 겁니다.

두 번째 비밀은 '환경 설계'입니다. 막내가 준 아이디어인데요, 장난감을 치우기 싫을 때 작은 바구니들을 여러 군데 두어놓으면 훨씬 쉽게 정리한다는 겁니다. 마찬가지로, 운동하고 싶다면 운동복을 눈에 띄는 곳에 두세요.

세 번째는 '감정 연결'입니다. 단순히 "해야 하니까"가 아닌, 감정적인 이유를 찾는 것입니다. 첫째는 이렇게 말했죠. "매일 수학문제 푸는 것이 싫은데, 경시대회에서 상을 받는 상상을 하면 조금 더 할 수 있어요!" 이것이 바로 감정의 힘입니다.

특히 재미있는 것은 '실패의 재해석' 전략입니다. 동기부여가 실패했을 때, 그것을 배움의 기회로 바꾸는 거죠. 예를 들어, 오늘 운동을 못했다면 "왜 못했지?"라고 분석해보는 겁니다. 피곤했나요? 시간이 부족했나요? 이런 분석이 다음번 성공의 열쇠가 됩니다.

'침대의 마법'도 있습니다. 침대가 당신을 붙잡는다면, 그 소파를 동맹군으로 만드세요. "이 침대에서는 논문도 쓰고 책도 읽기로 해요"라는 식으로요.

동기부여에서 가장 중요한 것은 '작은 승리'를 만드는 것입니다. 매일 일기를 쓰고 싶다면, 처음에는 한 줄부터 시작하세요. 우리 뇌는 성공 경험을 통해 더 강한 동기를 얻습니다.

특별히 효과적인 것은 '미래 자아와의 대화'입니다. "한 시간 후의 나는 운동을 했다는 사실에 얼마나 뿌듯할까?" 이런 생각은 현재의 불편함을 미래의 만족감으로 바꿔줍니다.

동기부여의 또 다른 핵심은 '습관의 연쇄'입니다. 기존의 습관에 새로운 행동을 연결하는 거죠. "커피를 마실 때마다 스트레칭 하기", "양치할 때 스쿼트 하기" 같은 식으로요. 이것은 새로운 행동에 대한 저항을 줄여줍니다.

'보상 시스템'도 중요합니다. 하지만 여기서 주의할 점이 있습니다. 보상은 행동 직후에 주어져야 하고, 그 행동과 모순되지 않아야 합니다. 예를들어 "운동했으니 케이크 먹자"는 목적에 모순되기에 좋은 보상이 아닙니다.

동기부여에서 자주 간과되는 것은 '휴식의 중요성'입니다. 계속된 동기부여는 피로를 가져올 수 있습니다. 마치 운동 사이에 휴식이 필요한 것처럼, 동기부여도 주기적인 휴식이 필요합니다.

마지막으로, '자기 대화'의 중요성을 잊지 마세요. "난 할 수 없어"가 아닌 "지금은 어렵지만, 천천히 해보자"와 같은 긍정적인 자기 대화가 필요합니다.

동기부여는 완벽할 필요가 없습니다. 때로는 실패하고, 때로는 주저앉을 수 있습니다. 중요한 것은 다시 시작하는 것입니다. 마치 아이들이 걸음마를 배울 때처럼, 넘어지는 것보다 일어서는 것이 더 중요하니까요.

지금 이 순간에도 누군가는 침대에서 일어나려고 고민하고 있을 것입니다. 그들에게, 그리고 여러분에게 말씀드리고 싶습니다. 완벽한 동기부여는 없습니다. 하지만 불완전한 시작이 완벽한 미루기보다 낫습니다.

충동 조절 극복하기

저는 충동 조절과의 싸움이 얼마나 어려운지 매일 목격합니다. 특히 잠들기 전 "막걸리 한 병만 더..."라는 유혹과 싸울 때면, 제가 쓰고 있는 이 책의 주인공이 된 것 같은 기분이 듭니다.

충동은 마치 갑자기 들이닥친 손님과 같습니다. 예고 없이 찾아와서 우리의 평화로운 일상을 방해합니다. 하지만 재미있는 것은, 이 '손님'을 어떻게 대하느냐에 따라 상황이 완전히 달라진다는 점입니다.

우리의 뇌는 충동에 대해 흥미로운 반응을 보입니다. 예를 들어, 쇼핑몰에서 갑자기 "이거 사야 해!"라는 강렬한 충동이 들 때, 우리 뇌의 보상 중추는 마치 크리스마스 트리처럼 반짝이기 시작합니다. 이때 전두엽(우리 뇌의 이성을 담당하는 부분)은 "잠깐만요..."라고 말하려 하죠.

제가 상담했던 한 청소년의 이야기가 떠오릅니다. 그는 게임 중독으로 고민하다 찾아왔는데, 자신의 충동을 이렇게 표현했습니다. "마치 제 안에 두 명의 '나'가 있는 것 같아요. 한 명은 '게임하자!'라고 소리치고, 다른 한 명은 '하지 마!'라고 외치죠." 이것은 충동 조절의 본질을 정확히 설명한 것입니다.

충동 조절을 위한 첫 번째 단계는 '인식'입니다. 첫째가 발견한 방법이 특히 효과적이었는데요, 그는 자신의 충동에 이름을 지어주었습니다. "아, 과자 도깨비가 또 왔구나!" 이렇게 충동을 객관화하면, 그것에 휘둘리지 않고 관찰할 수 있게 됩니다.

두 번째는 '지연 전략'입니다. 충동은 보통 15-20분 정도가 지나면 강도가 약해집니다. 마치 파도와 같아서, 절정이 있고 그 다음에는 잠잠해지는 거죠. 아이들이 떼쓸 때 일단 15분만 버텨보자라는 마음으로 기다려봅니다. 아주 어린아이일 지라도 떼쓰던 아이들이 조금 진정된 것을 볼 수 있습니다.

세 번째는 '대체 활동 찾기'입니다. 충동이 일어날 때 다른 것으로 주의를 돌리는 거죠. 특히 신체 활동이 효과적입니다. 막내는 화가 날 때마다 욕실에가서 혼자만의 물장난을 시작하는데, 놀랍게도 이것이 정말 효과가 있습니다.

충동 조절에서 특히 중요한 것은 '실패의 정상화'입니다. 우리는 모두 가끔 충동에 넘어갑니다. 중요한 것은 그 후의 대응입니다. "또 실패했어..."라고 자책하는 대신, "이번엔 어떤 상황에서 충동이 일어났지?"라고 분석해보는 겁니다.

'환경 설계'도 핵심 전략입니다. 충동을 일으키는 요인들을 미리 제거하는 것입니다. 예를 들어, 늦은 밤 온라인 쇼핑의 유혹을 느낀다면, 핸드폰을 침실 밖에 두는 것이죠. 이것은 마치 다이어트를 할 때 집에 과자를 두지 않는 것과 같은 원리입니다.

특히 효과적인 것은 '미래 시뮬레이션'입니다. 충동이 일어났을 때, 잠시 멈추고 "한 시간 후의 내가 어떤 기분일까?"를 상상해보는 거죠. 이것은 현재의 충동과 미래의 결과를 연결시켜주는 강력한 도구입니다.

충동 조절에는 '에너지 관리'도 중요합니다. 피곤하거나 스트레스를 받으면 충동 조절이 더 어려워집니다. 마치 배터리가 부족한 스마트폰처럼, 우리의 자제력도 에너지가 필요하니까요.

마지막으로, 충동 조절에 실패했다고 자신을 미워하지 마세요. 대신 "괜찮아, 다음에는 더 잘할 수 있어"라고 말해주세요. 자기 연민은 오히려 더 나은 자기 조절로 이어집니다.

충동은 우리 삶의 자연스러운 부분입니다. 그것을 완전히 없애는 것이 목표가 아니라, 현명하게 관리하는 것이 목표입니다. 마치 강물을 막는 것이 아니라, 그것을 유용한 방향으로 흐르게 하는 것처럼 말입니다.

이 모든 전략들은 연습이 필요합니다. 하루아침에 완벽한 충동 조절을 기대하는 것은 현실적이지 않습니다. 대신 조금씩, 하나씩 시도해보세요. 실패해도 괜찮습니다. 그것도 학습의 일부니까요.

결국 충동 조절은 자신과의 대화입니다. 그것은 "하지 마!"라는 엄격한 명령이 아니라, "잠시 기다려보자"라는 부드러운 제안이 되어야 합니다. 그리고 그 대화 속에서 우리는 조금씩 더 현명해지고, 더 강해집니다.

지금 이 순간에도 어딘가에서 누군가가 충동과 싸우고 있을 것입니다. 그들에게, 그리고 여러분에게 말씀드리고 싶습니다. 완벽하지 않아도 괜찮습니다. 우리는 모두 이 여정 위에 있으니까요. 중요한 것은 포기하지 않는 것, 그리고 매 순간 조금 더 나은 선택을 하려고 노력하는 것입니다.

회복탄력성
넘어져도 다시 일어나는 오뚝이

삶은 종종 우리를 넘어뜨립니다. 세 아이를 키우는 심리학자로서, 저는 이 진리를 매일 목격합니다. 특히 첫째가 자전거를 배울 때가 떠오르네요. 수없이 넘어지고 좌절했지만, 결국 다시 일어나 페달을 밟았습니다. 이것이 바로 회복탄력성의 본질입니다.

회복탄력성은 단순히 '강한 것'이 아닙니다. 오히려 그것은 유연함에 가깝습니다. 마치 태풍이 불 때 곧게 뻗은 나무보다 휘어지는 대나무가 더 잘 살아남는 것처럼, 인생의 풍파 속에서도 우리는 유연하게 대처하는 법을 배워야 합니다.

제가 상담했던 한 학생의 이야기가 특히 인상적입니다. 그는 중요한 시험에서 연속으로 실패했습니다. 처음에는 완전히 무너진 듯 했죠. 하지만 그 과정에서 그는 놀라운 통찰을 얻었습니다. "교수님, 저는 이제 실패가 무섭지 않아요. 왜냐하면 제가 다시 일어날 수 있다는 걸 알게 됐거든요."

회복탄력성을 키우는 첫 번째 단계는 '실패를 재정의'하는 것입니다. 실패는 끝이 아닌 과정입니다. 둘째는 이것을 아주 재미있게 표현했죠. "넘어지는 건 내가 뭔가를 배우고 있다는 뜻이에요!" 이 단순한 통찰이 얼마나 깊은 지혜를 담고 있는지 모릅니다.

두 번째는 '감정 수용'입니다. 회복탄력성이 높다는 것은 감정이 없다는 뜻이 아닙니다. 오히려 그 반대입니다. 자신의 감정을 인정하고 받아들이되, 그것에 압도되지 않는 것이 핵심입니다. 우리 막내가 울다가도 금세 웃는 것처럼요.

'지지 시스템' 구축도 중요합니다. 혼자서는 모든 것을 견디기 어렵습니다. 저는 이것을 '마음의 안전망'이라고 부릅니다. 가족, 친구, 선생님 등 우리를 지지해주는 사람들이 있다는 것은 큰 힘이 됩니다.

특히 효과적인 것은 '작은 승리 축적하기'입니다. 매일 작은 도전을 설정하고 그것을 달성하면서 자신감을 쌓아가는 겁니다. 처음에는 "오늘은 책상 정리하기"같은 아주 작은 것부터 시작합니다. 이런 작은 성공들이 모여 회복탄력성의 토대가 됩니다.

'긍정적 자기 대화'도 핵심 전략입니다. 이는 단순한 긍정적 사고가 아닙니다. 오히려 현실적이면서도 희망적인 대화를 자신과 나누는 것입니다. "지금은 힘들지만, 이것도 지나갈 거야" 같은 식으로요.

회복탄력성에는 '루틴'도 중요합니다. 예측 가능한 일과는 우리에게 안정감을 줍니다. 특히 어려운 시기에는 이런 기본적인 루틴이 우리를 지탱해주는 닻이 됩니다.

'경험 재구성'하기도 효과적입니다. 어려운 상황을 다른 관점에서 바라보는 겁니다. "이 경험이 나를 어떻게 더 강하게 만들까?", "여기서 무엇을 배울 수 있을까?" 같은 질문들이 도움이 됩니다.

중요한 것은 회복탄력성이 타고나는 것이 아니라는 점입니다. 그것은 마치 근육처럼 훈련을 통해 강화될 수 있습니다. 실제로 많은 연구들이 회복탄력성은 습득 가능한 기술이라는 것을 보여줍니다.

회복탄력성에서 특히 중요한 것은 '시간 관점'입니다. 현재의 어려움이 영원히 지속되지 않을 것이라는 이해가 필요합니다. 마치 날씨처럼, 인생의 폭풍도 결국 지나갑니다. 이 순간을 버티고나면 반드시 좋은 날이 옵니다. 무언가 애써서 해결하지 않아도 지나간다는 맘으로 버티는 것도 중요합니다.

'감사 연습'도 회복탄력성을 높이는 데 도움이 됩니다. 어려운 상황에서도 감사할 것을 찾는 습관은 우리의 관점을 바꾸어줍니다. 이 것을 위해서 저는 아이들과 매일 저녁 식사 때 그날의 감사한 일을 하나씩 이야기합니다.

우리는 완벽할 수 없고, 그럴 필요도 없습니다. 실수와 실패를 허용하는 안전한 공간을 만드는 것이 중요합니다.

회복탄력성은 결국 우리가 삶을 어떻게 바라보느냐와 관련이 있습니다. 그것은 어려움을 피하는 것이 아니라, 어려움을 통해 성장하는 능력입니다.

우리는 모두 때때로 넘어집니다. 중요한 것은 얼마나 빨리 일어나느냐가 아니라, 계속해서 일어나려 노력하는 의지입니다. 마치 오뚝이처럼, 우리도 자신만의 리듬으로 다시 일어설 수 있습니다.

그리고 기억하세요. 회복탄력성이 높다는 것은 혼자서 모든 것을 견딘다는 뜻이 아닙니다. 때로는 도움을 요청하는 것도 회복탄력성의 한 형태입니다. 우리는 함께 일어설 때 더 강해집니다.

PART 3

자기조절의 실천과 미래

제 7 장
활동으로 배우는 자기조절

놀이로 배우는 자기조절

세 아이를 키우는 심리학자로서, 저는 놀이가 가진 마법 같은 힘을 매일 목격합니다. 특히 자기조절을 배우는 데 있어서, 놀이는 그 어떤 교육 방법보다도 효과적입니다. 오늘은 제가 아이들과 함께 시도해본 재미있는 자기조절 놀이들을 소개해드리려고 합니다.

먼저, 놀이의 마법에 대해 이야기해볼까요? 놀이는 우리의 뇌를 특별한 상태로 만듭니다. 재미있는 것에 집중하다 보면, 평소에는 어려웠던 자기조절이 자연스럽게 이루어지곤 하죠. 예를 들어, 우리 첫째는 평소에 5분도 가만히 앉아있지 못하지만, '얼음 왕국 게임'을 할 때는 10분 이상 꼼짝 않고 얼음 조각이 되어있을 수 있답니다.

가장 인기 있는 놀이 중 하나는 '감정 연기 대회'입니다. 이것은 감정 조절을 배우는 놀이인데요, 각자 다양한 감정 카드를 뽑아서 그 감정을 연기하는 겁니다. "화났다가 3초 만에 행복해지기", "슬

픔에서 천천히 기쁨으로 바뀌기" 같은 미션을 수행하면서, 아이들은 자연스럽게 감정의 변화와 조절을 배웁니다.

'자기조절 슈퍼히어로' 놀이도 아이들이 정말 좋아합니다. 각자 자신만의 슈퍼히어로를 만들어요. 예를 들어 둘째는 '참을성맨'이라는 캐릭터를 만들었는데, 특수 능력이 '화나도 3초 참기'랍니다. 아이들은 일상생활에서 문제가 생길 때마다 자신의 슈퍼히어로 캐릭터가 되어 문제를 해결합니다.

'타임머신 놀이'는 미래 사고능력을 키우는 데 효과적입니다. "10분 후의 내가 되어보기", "내일의 내가 되어보기" 같은 방식으로 진행되는데, 이를 통해 아이들은 현재의 선택이 미래에 미치는 영향을 이해하게 됩니다. 막내는 이 놀이 덕분에 "지금 일찍 잠들면, 내일의 내가 좋아할 거야!"라는 말을 자주 하게 되었어요.

'감정 날씨 예보'는 감정 인식과 표현을 돕는 놀이입니다. 아이들이 기상캐스터가 되어 자신의 감정 상태를 날씨로 표현하는 겁니다. "오늘 오전에는 화남 구름이 몰려왔지만, 오후에는 기쁨 햇살이 비칠 예정입니다" 같은 식으로요. 이 놀이는 특히 자신의 감정을 이해하고 예측하는 능력을 키우는 데 도움이 됩니다.

'그대로 멈춰라!'는 충동 조절을 위한 완벽한 놀이입니다. 음악에 맞춰 춤을 추다가 음악이 멈추면 즉시 정지하는 거예요. 여기에 재미있는 변형을 더했는데, 정지할 때마다 다른 포즈를 취하게 하는 거죠. 이를 통해 아이들은 자신의 몸과 행동을 통제하는 법을 배웁니다.

'감정 조절 주사위'도 재미있는 도구입니다. 주사위의 각 면에 다른 감정 조절 전략을 적습니다. 예를 들어 "심호흡 3번하기", "10까지 세기", "행복한 생각하기" 같은 것들이죠. 아이들이 화가 났을 때 주사위를 굴려서 나온 전략을 시도해보는 겁니다.

'속삭임 게임'은 목소리 조절을 배우는 놀이입니다. 점점 더 작은 목소리로 이야기하다가, 마지막에는 입모양으로만 대화하는 거예요. 이 놀이는 특히 감정이 격해졌을 때 자신의 목소리를 조절하는 법을 배우는 데 도움이 됩니다.

놀이를 통한 자기조절 학습의 가장 큰 장점은 실패가 두렵지 않다는 것입니다. 게임에서 지는 것은 끝이 아니라 다시 시작할 수 있는 기회가 됩니다. 이런 경험들이 쌓이면서 아이들은 실제 생활에서도 실패를 두려워하지 않게 됩니다.

특히 강조하고 싶은 것은 이러한 놀이들이 단순히 아이들만을 위한 것이 아니라는 점입니다. 어른들도 이런 놀이에 참여하면서 많은 것을 배울 수 있습니다. 실제로 저는 가끔 상담 세션에서 이런 놀이들을 성인 내담자들과 함께하기도 합니다.

놀이를 통한 학습의 효과를 극대화하기 위해서는 몇 가지 원칙이 있습니다:

1. 경쟁보다는 협력에 중점을 두세요
2. 규칙은 단순하게 유지하세요
3. 실수해도 괜찮은 안전한 환경을 만드세요
4. 아이들의 창의적인 제안을 수용하세요
5. 무엇보다 즐거움을 우선시하세요

자기조절은 결코 쉽지 않은 기술입니다. 하지만 놀이를 통해 배울 때, 그것은 즐거운 도전이 됩니다. 우리 모두 내면에는 놀기 좋아하는 어린아이가 있다는 것을 기억하세요. 그 어린아이의 손을 잡고 자기조절이라는 여행을 떠나보는 건 어떨까요?

연령 별 꿀잼 활동:0세부터 100세까지

세 아이를 키우는 심리학자로서, 저는 자기조절이 평생학습이라는 것을 매일 깨닫습니다. 재미있는 것은 각 연령대마다 자기조절을 배우는 최적의 방법이 다르다는 점이에요. 오늘은 연령대별로 가장 재미있고 효과적인 자기조절 활동들을 소개해드리려고 합니다.

영아기 (0-2세): 감각의 발견

아기들도 자기조절을 배울 수 있다는 사실, 알고 계셨나요? 막내가 6개월 때 시작한 “시간 간격을 둔 까꿍 놀이’가 특히 효과적이었어요. 아기 앞에서 봉제인형을 살짝 숨겼다가 "짜잔!"하고 보여주는 겁니다. 처음에는 5초, 점점 10초로 늘려가며 기다리는 연습을 하는 거죠. 또 다른 재미있는 활동은 '멈춤 놀이'입니다. 음악을 틀어주다가 갑자기 멈추면 아기도 움직임을 멈추는 거예요. 막내는 이 놀이를 너무 좋아해서 나중에는 스스로 "멈춰!"를 외치곤 했답니다.

유아기 (3-5세): 상상력의 시대

이 나이에는 상상력을 활용한 놀이가 최고입니다. '감정 신호등 놀이'가 대표적입니다. 빨간불은 화났을 때, 노란불은 불안할 때, 초록불은 평온할 때를 의미합니다. 아이들은 자신의 감정 상태를 신호등 색으로 표현하면서 자연스럽게 감정 조절을 배웁니다.
'거북이와 토끼 게임'도 인기 만점입니다. 흥분했을 때는 토끼처럼 빠르게 뛰다가, 차분해져야 할 때는 거북이처럼 천천히 움직이는 겁니다. 우리 둘째는 이 게임 덕분에 "지금은 거북이 모드야"라는 말을 자주 사용하게 되었답니다.

학령기 (6-12세): 규칙과 보상의 균형

이 시기에는 '챌린지 카드' 시스템이 효과적입니다. 매주 월요일에 새로운 자기조절 미션이 적힌 카드를 받고, 성공할 때마다 스티커를 모으는 겁니다. "TV 시청 시간 지키기", "숙제 전에 놀이하지 않기" 같은 미션들입니다. '타임캡슐 편지'도 좋은 활동입니다. 한 달 후의 자신에게 편지를 쓰고, 그동안 자기조절 목표를 얼마나 잘 지켰는지 체크하는 겁니다. 우리 첫째는 이 활동을 통해 장기적 목표 설정의 재미를 알게 되었습니다.

청소년기 (13-19세): 자율성과 책임감

청소년들에게는 '자기 관리 앱 만들기' 프로젝트가 인기 있습니다. 자신만의 시간 관리, 목표 설정, 감정 기록 앱을 직접 디자인해보는 겁니다. 실제로 만들지 않더라도, 계획을 세우는 과정 자체가 중요한 학습이 됩니다. 'SNS 디톡스 챌린지'도 효과적입니다. 하루 중 특정 시간대를 'SNS 프리타임'으로 정하고, 그 시간에는 다른 활동을 하는 겁니다. 대신 오프라인에서 친구들과 만나거나 취미 활동을 하도록 권장합니다.

청년기 (20-35세): 균형 잡기

이 시기에는 '작은 승리 일기'가 도움이 됩니다. 매일 저녁 작은 자기조절의 승리들을 기록하는 겁니다. "점심 식사 후 디저트 참기", "회의 중 스마트폰 안 보기" 같은 것들이죠. '스트레스 해소 키트' 만들기도 추천합니다. 스트레스 상황별로 자신만의 대처 방법을 정리해두는 겁니다. 예를 들어 "업무 스트레스 → 5분 명상", "인간관계 스트레스 → 산책하기" 같은 식으로요.

중년기 (36-60세): 지혜의 시작

'습관 교환 프로그램'이 효과적입니다. 나쁜 습관 하나를 좋은 습관으로 바꾸는 30일 프로젝트를 시작하는 겁니다. 예를 들어 "커피 한 잔 줄이고 물 한 잔 늘리기" 같은 것부터 시작합니다. '가족 자기조절 캠페인'도 재미있습니다. 가족 구성원 모두가 각자의 자기조절 목표를 세우고 서로 응원하는 겁니다. 주말마다 작은 가족 회의를 열어 진행 상황을 공유합니다.

노년기 (61세 이상): 새로운 도전

'기억력 향상 게임'을 추천합니다. 일상적인 물건들의 위치를 기억하는 게임부터 시작해서, 점점 더 복잡한 패턴을 기억하는 활동으로 발전시키는 겁니다. 치매예방에 도움이 될 수 있습니다.

'감사 일기 쓰기'도 좋은 활동입니다. 매일 저녁 세 가지 감사한 일을 적으면서, 긍정적인 감정을 조절하고 유지하는 연습을 하는 겁니다.

자기조절은 결코 지루할 필요가 없습니다. 각자의 나이와 상황에 맞는 재미있는 활동을 찾아보세요. 그리고 기억하세요. 나이는 숫자에 불과합니다. 우리는 언제든 새로운 것을 배우고 성장할 수 있습니다.

제 8 장
자기조절 활동지 사용법

유아들을 위한 놀이 활동지

세 아이를 키우는 심리학자로서, 영유아기의 자기조절이 얼마나 중요한지 깊이 이해하고 있습니다. 이 시기에 적절한 활동지와 놀이 도구들은 마치 마법 같은 효과를 발휘하곤 합니다. 오늘은 실제로 활용할 수 있는 활동지와 그 사용법을 상세히 소개해드리겠습니다.

감정날씨 기록장

이 활동지는 "감정 날씨 기록장"이라고 부르는데, 영유아가 자신의 감정을 인식하고 표현하는 것을 돕는 도구입니다. 사용 방법을 자세히 설명해드리겠습니다:

1. 매일의 감정 기록하기
   - 아침에 일어나서 첫 번째 활동으로 시작합니다

- 아이가 직접 이모티콘을 선택하게 합니다
- 선택한 이유를 간단히 이야기 나눕니다

2. 감정 체크리스트 활용법
   - 하루 중 여러 번 체크할 수 있습니다
   - 감정이 변할 때마다 새로운 스티커를 붙입니다
   - 변화의 이유에 대해 대화를 나눕니다
3. 감정 조절 도구 상자 사용하기
   - 부정적인 감정이 들 때 활용합니다
   - 아이와 함께 새로운 방법을 추가할 수 있습니다
   - 각 방법을 실제로 연습해봅니다

특히 효과적인 활용 팁을 몇 가지 알려드리겠습니다:

1. 규칙적인 시간에 활동지를 활용하세요
   - 아침 식사 전이나 후
   - 낮잠 시간 전
   - 저녁 식사 후
2. 긍정적 강화를 활용하세요
   - 감정을 잘 표현했을 때 칭찬해주기
   - 감정 조절에 성공했을 때 작은 보상하기
   - 노력하는 과정 자체를 인정해주기
3. 가족이 함께 참여하세요
   - 부모도 자신의 감정을 기록하기
   - 형제자매가 있다면 함께 하기

- 서로의 감정에 대해 이야기 나누기

이 활동지는 단순히 기록용이 아닌, 대화의 도구로 활용되어야 합니다. 아이들은 이를 통해 자연스럽게 자신의 감정을 인식하고 표현하는 법을 배우게 됩니다.

〈부록〉 나의 감정 날씨 기록장

내 마음을 진정시키는 방법

크게 숨쉬기 3번

좋아하는 노래 부르기

곰인형 안아보기

엄마한테 안기기

유아들을 위한 하루 감정 신호등

다음으로 소개해 드릴 활동지는 '감정 신호등' 활동지입니다. 이 도구는 특히 2-5세 아이들의 감정 조절에 효과적입니다. 이 감정 신호등 활동지의 효과적인 활용법을 설명해 드리겠습니다:

1. 기본 사용법
    - 활동지를 아이의 눈높이에 맞는 위치에 부착합니다
    - 매일 정해진 시간에 현재 감정을 체크합니다
    - 감정이 변할 때마다 신호등 색상을 바꿔볼 수 있게 합니다
2. 세부 활용 방법
    - 빨간불(화났을 때):
        - ○ "지금은 멈춰서 생각하는 시간이에요"
        - ○ 심호흡을 함께 합니다
        - ○ 안전한 공간으로 이동합니다

- 노란불(불안할 때):
  - "잠시 기다려봐요"
  - 천천히 숫자를 셉니다
  - 좋아하는 장난감을 가지고 놉니다
- 초록불(평온할 때):
  - 긍정적인 감정을 충분히 느껴봅니다
  - 다른 사람과 기쁨을 나눕니다
  - 평온한 상태를 유지하는 방법을 이야기해봅니다

3. 추가 활용 팁
   - 스티커나 자석을 활용해 현재 감정 상태를 표시합니다
   - 그날의 감정 변화를 기록해봅니다
   - 가족 모두가 참여할 수 있게 합니다
4. 연령별 맞춤 활용
   - 2-3세: 단순히 색깔과 기본 감정을 매칭합니다
   - 3-4세: 간단한 감정 조절 전략을 연습합니다
   - 4-5세: 자신의 감정 변화를 인식하고 기록합니다

이 활동지를 사용할 때의 주의사항:

- 강요하지 않습니다
- 틀린 감정은 없다는 것을 알려줍니다
- 아이의 페이스를 존중합니다
- 작은 진전도 크게 칭찬합니다

효과를 높이기 위한 추가 활동들:

1. 감정 연기놀이 병행하기
2. 감정과 관련된 동화책 함께 읽기
3. 감정 조절에 성공했을 때 작은 보상하기
4. 가족 모두가 감정 일기 쓰기

이러한 활동지들은 단순한 도구가 아닌, 아이와의 소통 창구가 됩니다. 꾸준한 사용과 긍정적인 피드백을 통해 아이들은 자연스럽게 자기조절 능력을 키워갈 수 있습니다.

〈부록〉 나의 하루 감정 신호등

나의 하루 감정 신호등

화가 날 때 이렇게 해봐요!

1. 크게 숨을 쉬어요 (3번)
2. 천천히 10까지 세어요
3. 안전한 곳으로 가요

오늘 나의 감정은 어땠나요?

아침	점심	저녁

학생들을 위한 시험 완벽 준비 노트

평소에는 멀쩡하던 우리의 자기조절 능력이 시험 기간만 되면 사라지는 것 같나요? 시험 기간에는 특별한 종류의 자기조절이 필요합니다. 심리학자로서 제가 관찰한 바로는, 시험 기간 중 가장 어려운 것은 공부 자체가 아니라 자신의 시간과 감정을 관리하는 것이더군요.

이 시험 완벽 준비 노트는 이렇게 활용하시면 됩니다:

1. 매일 아침 컨디션 체크하기
   - 정직하게 체크해주세요
   - 컨디션이 안 좋다면 계획을 조절하세요
   - 수면과 식사는 반드시 체크하세요
2. 학습 계획 세우기
   - 너무 빽빽하게 잡지 마세요

- 휴식 시간도 반드시 포함하세요
- 가장 집중이 잘 될 때 어려운 과목을 공부하세요

3. SOS 키트 활용하기
   - 위기가 오기 전에 미리 봐두세요
   - 증상이 있을 때 바로 사용하세요
   - 효과가 없으면 다른 방법을 시도해보세요
4. 성취 기록하기
   - 작은 것이라도 기록하세요
   - 밤에 자기 전에 꼭 체크하세요
   - 다음 날의 동기부여가 됩니다

특별 팁:

- 휴대폰은 2시간마다 5분씩만 보기
- SNS는 하루 30분으로 제한하기
- 과자는 공부량의 보상으로 먹기
- 4시간마다 30분 휴식하기

이 활동지는 매일 새로 프린트해서 사용하시면 좋아요. 일주일치를 한 번에 프린트해두면 더 편리하겠죠? 시험 기간이 끝나고 나면, 이 기록들을 보면서 다음 시험을 위한 나만의 팁을 만들어보세요.

시험 완벽 준비 노트

오늘의 컨디션 체크

- [ ] 충분한 수면
- [ ] 식사 했음
- [ ] 집중력 좋음
- [ ] 준비 완료!

오늘의 성공 계획

황금시간(9-12시)	
집중시간(1-5시)	
정리시간(6-10시)	

집중력 충전소

에너지 충전
10분 스트레칭

마음 안정
심호흡 5회

의욕 충전
작은 목표 달성

에너지 재충전
파워낮잠 30분

오늘의 승리!

- [ ] 오늘의 가장 큰 성공은?
- [ ] 작은 성공도 큰 승리!

어른들을 위한 자기조절 활동지

이 '마음 균형 다이어리'는 바쁜 현대인들의 자기조절을 돕기 위해 특별히 설계되었습니다. 사용 방법을 상세히 설명해드리겠습니다.

먼저, 에너지 레벨 체크는 하루를 시작할 때 꼭 해주세요. 이것은 마치 자동차의 계기판을 확인하는 것과 같습니다. 신체, 정신, 감정, 관계 각 영역의 에너지를 체크하면서 오늘 특별히 관리가 필요한 부분을 파악할 수 있습니다.

우선순위 설정에서는 '반드시', '가능하면', '여유되면'이라는 세 단계로 구분합니다. 이는 완벽주의로 인한 스트레스를 줄이고, 현실적인 계획을 세우는 데 도움이 됩니다. 특히 '여유되면' 항목은 심리적 부담을 줄여주는 완충제 역할을 합니다.

스트레스 관리 도구는 상황별 대처 방법을 미리 정해둔 것입니다. 스트레스 상황에서는 판단력이 떨어지기 쉽기 때문에, 이렇게 미리 정해둔 대처법이 큰 도움이 됩니다. 각자의 상황에 맞게 내용을 수정해서 사용하시면 됩니다. 하루 마무리 섹션은 특히 중요합니다. 성공 경험을 기록하는 것은 자기효능감을 높이고, 내일을 위한 메모는 불필요한 불안을 줄여줍니다. 잠들기 전 5분만 투자해도 큰 효과를 볼 수 있습니다.

이 활동지를 효과적으로 활용하기 위한 추가 팁을 알려드리면:

1. 매일 같은 시간에 체크하는 습관을 들이세요. 아침에 에너지 레벨을 체크하고, 저녁에 마무리 섹션을 작성하는 것이 이상적입니다.
2. 너무 완벽하게 작성하려고 하지 마세요. 간단하게라도 매일 작성하는 것이 중요합니다.
3. 일주일에 한 번은 지난 기록을 살펴보면서 패턴을 분석해보세요. 자신만의 스트레스 요인과 효과적인 대처 방법을 발견할 수 있을 것입니다.

이 활동지는 단순한 기록장이 아닌, 자신을 이해하고 관리하는 도구입니다. 처음에는 어색할 수 있지만, 꾸준히 사용하다 보면 자신만의 자기조절 전문가가 될 수 있습니다.

〈부록〉 마음 균형 다이어리

마음 균형 다이어리

오늘의 에너지 레벨

신체 정신 감정 관계

오늘의 우선순위

반드시 꼭 해야 할 일

가능하면 시간이 되면 할 일

여유되면 추가로 하면 좋을 일

스트레스 관리 도구

긴급 상황
심호흡 5회

업무 과부하
5분 산책

인간관계
잠시 자리 비우기

피로감
물 한잔과 스트레칭

하루 마무리

오늘의 성공

오늘 잘한 일을 적어보세요

내일을 위한 메모

내일을 위한 준비사항

제 9 장

자기조절 연구의 최신 트랜드

AI가 당신의 의지력을 대신할 수 있을까?

조금 전 저는 AI 에게 "오늘은 절대 과자 먹지 말라고 알려줘"라고 타이핑 해 보았습니다. 심리학자이자 세 아이의 엄마로서, 이런 현대적인 자기조절 방법에 대해 깊은 관심을 가지고 있습니다. 과연 AI가 우리의 의지력을 대신할 수 있을까요?

최근 연구들은 흥미로운 가능성을 보여줍니다. 최근 연구에 따르면, AI 기반 습관 추적 앱을 사용한 사람들의 목표 달성률이 30% 더 높았다고 합니다. 하지만 이것이 정말 AI가 우리의 의지력을 대신한다는 의미일까요?

실제로 일어나고 있는 일은 조금 다릅니다. AI는 우리의 의지력을 '대신하는' 것이 아니라, '보조하는' 역할을 하고 있습니다. 리와 킴은(Li & Kim, 2024)은 이를 "디지털 비계(Digital Scaffolding)" 현상이라고 부릅니다. 마치 어린아이가 자전거 타는 법을 배울 때 보조바퀴가 필요한 것처럼, AI는 우리의 자기조절을 돕는 보조도구 역할을 한다는 것이죠.

예를 들어볼까요? 제가 상담했던 직장인 A씨의 사례입니다. 그는 AI 기반 생산성 앱을 사용하기 시작했습니다. 이 앱은 그의 업무 패턴을 분석하여 가장 집중이 잘 되는 시간대를 찾아주고, 그 시간에 중요한 미팅이나 업무를 배치하도록 제안했습니다. 처음에는 효과가 있었지만, 점차 흥미로운 현상이 나타났습니다. A씨는 AI의 제안 없이도 자신의 최적 업무 시간을 인식하고 조절할 수 있게 된 것입니다.

휴잇-테일러(Hewitt-Taylor, 2003)의 연구는 이런 현상을 "기술 보조 학습(Technology-Assisted Learning)"이라고 설명합니다. AI는 마치 좋은 코치처럼, 우리가 자신의 패턴을 이해하고 더 나은 습관을 형성하도록 돕는 것이죠.

하지만 여기에는 중요한 주의사항이 있습니다. 아다닌 (Adanyin , 2024)의 연구는 AI에 과도하게 의존하는 것의 위험성을 지적합니다. 예를 들어, 일부 사람들은 AI의 알림 없이는 전혀 자기조절을 하지 못하는 '디지털 의존증'을 보였습니다.

그렇다면 AI를 현명하게 활용하는 방법은 무엇일까요? 연구들을 종합해보면 다음과 같은 원칙이 도출됩니다:

첫째, AI를 '선생님'이 아닌 '도우미'로 생각하세요. 우리 첫째가 숙제할 때 계산기를 사용하는 것처럼, AI도 도구일 뿐입니다.

둘째, 점진적으로 AI 의존도를 줄여나가는 계획을 세우세요.

셋째, AI의 제안을 무조건 따르지 말고, 자신의 상황과 맥락에 맞게 조절하세요. 결국 가장 중요한 것은 자신에 대한 이해입니다.

흥미로운 것은, AI가 발전할수록 오히려 인간의 자기조절 능력의 중요성이 더욱 부각된다는 점입니다. 리 (Lee, 2024)는 "AI 시대에는 역설적으로 더 강한 자기조절력이 필요하다"고 주장합니다.

결론적으로, AI는 우리의 의지력을 대신할 수 없습니다. 하지만 현명하게 활용한다면, 더 나은 자기조절력을 키우는 효과적인 도구가 될 수 있습니다. 마치 내비게이션이 우리의 방향감각을 완전히 대체하지 않듯이, AI도 우리의 보조자로 남을 것입니다.

참고문헌

Adanyin, A. (2024). AI-Driven Feedback Loops in Digital Technologies: Psychological Impacts on User Behaviour and Well-Being. arXiv preprint arXiv:2411.09706.

Hewitt-Taylor, J. (2003). Technology-assisted learning. Journal of further and higher education, 27(4), 457-464.

Khine, M. S. (2024). AI in Teaching and Learning and Intelligent Tutoring Systems. In Artificial Intelligence in Education: A Machine-Generated Literature Overview (pp. 467-570). Singapore: Springer Nature Singapore.

Lee, B. (2022). The relationship between smartphone overdependence and the adolescents' smartphone use time during tasks: Moderating effects of purposeful use for tasks. Robotics & AI Ethics, 7(1), 1-9.

Li, L., & Kim, M. (2024). It is like a friend to me: Critical usage of automated feedback systems by self-regulating English learners in higher education. Australasian Journal of Educational Technology, 40(1), 1-18.

미래의 자기조절: 뇌에 칩을 심으면 끝?

둘째가 얼마 전 이런 질문을 했습니다. "엄마, 우리 뇌에 공부 잘하는 칩을 심으면 안 돼요?" 심리학자로서 이 질문은 단순한 아이의 상상이 아닌, 현재 활발히 연구되고 있는 미래 기술에 대한 본질적인 질문이라는 생각이 들었습니다.

실제로 신경과학 분야에서는 이미 뇌-컴퓨터 인터페이스(Brain-Computer Interface, BCI) 기술이 빠르게 발전하고 있습니다. 장과 동료들(Zhang et al., 2024)의 연구에 따르면, BCI 기술은 이미 일부 신경학적 장애의 치료에 성공적으로 사용되고 있다고 합니다.

하지만 이 기술이 자기조절에도 적용될 수 있을까요? 휴닥과 동료들(Hudak et al., 2017)은 흥미로운 실험을 진행했습니다. 참가자들의 전두엽 활동을 모니터링하고 실시간으로 피드백을 주는 장치를 사용했더니, 충동 조절 능력이 40% 향상되었다고 합니다. 마치 우리 뇌 속에 작은 트래픽 신호등을 설치한 것과 같았죠.

그러나 여기서 중요한 질문이 생깁니다. 기술적으로 가능하다고 해서, 그것이 바람직한 선택일까요? 학자들은 "뉴로 윤리(Neuro-ethics)"라는 관점에서 세 가지 중요한 우려사항을 제기합니다:

1. 진정성의 문제: 칩으로 조절된 행동이 진정한 '나'의 행동일까요?
2. 자율성의 문제: 외부 장치에 의존하면 자기조절 '근육'이 약해지지 않을까요?
3. 보안의 문제: 누군가 우리의 뇌에 심긴 칩을 해킹한다면?

특히 흥미로운 것은 수와 치엔 (Su & Chien, 2024)의 연구입니다. 그들은 "기술 보조 자기조절"과 "자연적 자기조절"을 비교했는데, 예상 외의 결과가 나왔습니다. 기술의 도움을 받은 그룹이 단기적으로는 더 나은 결과를 보였지만, 6개월 후에는 자연적으로 자기조절을 학습한 그룹이 더 지속가능한 변화를 보였다고 합니다.

제가 상담했던 한 기술 회사 직원의 경험도 시사하는 바가 큽니다. 그는 최신 웨어러블 기기들을 사용해 자신의 모든 생체 신호를 모니터링했지만, 결국 깨달은 것은 "기계가 아닌 내 마음이 변해야 한다"는 점이었습니다.

브라이언트(Bryant, 2021)는 이상적인 미래 시나리오를 제시합니다. 그들은 뇌에 칩을 심는 것이 아닌, "증강된 자기조절

(Augmented Self-regulation)"을 제안합니다. 이는 기술이 우리의 자연적인 자기조절 능력을 보완하되, 점진적으로 그 의존도를 줄여 나가는 방식입니다.

결국 중요한 것은 균형일 것 같습니다. 첫째의 말처럼 "로봇이 되지 않고도 더 나은 사람이 되는 방법"을 찾는 것이죠. 기술은 우리의 자기조절을 돕는 도구가 될 수는 있지만, 그것이 우리의 인간성을 대체해서는 안 될 것입니다.

참고문헌

Bryant, P. T. (2021). Augmented Humanity: Being and Remaining Agentic in a Digitalized World (p. 308). Springer Nature.

Hudak, J., Blume, F., Dresler, T., Haeussinger, F. B., Renner, T. J., Fallgatter, A. J., ... & Ehlis, A. C. (2017). Near-infrared spectroscopy-based frontal lobe neurofeedback integrated in virtual reality modulates brain and behavior in highly impulsive adults. Frontiers in human neuroscience, 11, 425.

Su, Y. H., & Chien, S. Y. (2024). An automated self-regulation advising mechanism in mobile learning environment to promote students' learning achievement, self-regulated awareness and approaches to science learning. International Journal of Mobile Learning and Organisation, 18(4), 496-515.

Zhang, H., Jiao, L., Yang, S., Li, H., Jiang, X., Feng, J., ... & Wei, B. (2024). Brain-computer interfaces: the innovative key to unlocking neurological conditions. International Journal of Surgery, 110(9), 5745-5762.

제 10 장

습관으로 만드는 평생 자기조절

자기조절의 장기 효과
120세까지 건강하게 사는 법

세 아이를 키우는 심리학자로서, 저는 종종 이런 생각을 합니다. "우리의 작은 자기조절이 미래의 어떤 변화를 만들어낼까?" 특히 우리 아이들이 "엄마는 몇 살까지 살 거예요?"라고 물었을 때, 이 질문이 더욱 의미 있게 다가왔습니다.

자기조절은 단순한 습관이 아닙니다. 그것은 우리 인생의 질을 결정하는 가장 강력한 예측 변수 중 하나입니다. 특히 장수와 건강한 노화에 있어서 자기조절의 영향력은 놀랍습니다.

먼저, 자기조절이 왜 그렇게 중요한지 이해해볼까요? 우리 몸은 매일 수많은 선택의 순간에 직면합니다. "계단을 오를까, 엘리베이터를 탈까?", "디저트를 먹을까, 과일을 먹을까?", "지금 잠들까, 스마트폰을 더 볼까?" 이러한 작은 선택들이 모여 우리의 건강 수명을 결정합니다.

제가 인터뷰했던 한 80세 할머니의 이야기가 특히 인상적입니다.

그분은 매일 아침 6시에 일어나 요가를 하고, 하루 세 번 20분씩 걷고, 저녁 9시면 어김없이 취침 준비를 하셨습니다. "비결이 뭐냐"는 질문에 이렇게 답하셨죠. "매일 조금씩, 한 걸음씩이에요. 어제의 나보다 오늘의 내가 조금 더 건강해지기를 바라면서요."

건강한 장수를 위한 자기조절의 핵심 영역들을 살펴보겠습니다:

1. 수면의 자기조절 우리 뇌는 수면 중에 '대청소'를 합니다. 규칙적인 수면 습관은 치매 예방과 뇌 건강 유지에 핵심적입니다. 저는 이것을 '뇌 세차'라고 부릅니다. 매일 밤 정해진 시간에 뇌를 깨끗이 씻어주는 거죠.

2. 식사의 자기조절 "우리는 우리가 먹는 것이다"라는 말이 있죠. 하지만 더 정확히는 "우리는 우리가 규칙적으로 먹는 것이다"라고 해야 할 것 같습니다. 간헐적 단식, 적절한 포션 조절, 다양한 영양소 섭취 등이 모두 자기조절을 통해 이루어집니다.

3. 운동의 자기조절 재미있는 것은 운동 자체보다 운동하기로 한 약속을 지키는 능력이 더 중요하다는 점입니다. 우리 둘째가 발견한 지혜처럼요. "힘들어도 시작하면 재미있어져요!"

4. 스트레스 관리의 자기조절 현대인의 수명을 위협하는 가장 큰 적 중 하나는 스트레스입니다. 스트레스를 완전히 피할 수는 없지만, 관리할 수는 있습니다. 저는 이것을 '감정 서핑'이라고 부릅니다. 스트레스라는 파도 위에서 균형을 잡고 타는 거죠.

5. 사회적 관계의 자기조절 장수 연구에서 가장 흥미로운 발견 중 하나는 사회적 관계의 중요성입니다. 하지만 단순히 많은 사람

을 만나는 것이 아니라, 건강한 관계를 유지하는 능력이 중요합니다. 이것 역시 자기조절의 영역입니다.

120세까지 건강하게 산다는 것은 단순한 숫자의 문제가 아닙니다. 그것은 삶의 질에 대한 이야기입니다. 95세이신 저희 할아버지는 이렇게 말씀하셨습니다. "나이는 숫자에 불과해. 중요한 건 매일 아침 일어났을 때 오늘을 어떻게 보낼지 선택할 수 있는 자유란다." 특히 중요한 것은 '작은 승리의 축적'입니다. 둘째의 표현을 빌리자면 "매일매일 조금씩 슈퍼히어로가 되는 거예요!" 맞습니다. 건강한 장수는 하루아침에 이루어지는 것이 아니라, 매일의 작은 선택들이 모여 만들어지는 것입니다.

장기적 자기조절을 위한 실천적 조언들을 나누어보겠습니다:

1. **'미래의 나'와 대화하기** 매일 저녁, 10년 후의 나에게 편지를 쓰는 상상을 해보세요. "오늘 나는 미래의 너를 위해 어떤 선물을 남겼니?"

2. **'건강 저축' 개념 도입하기** 마치 은행 계좌처럼, 매일 작은 건강 습관들을 '저축'한다고 생각해보세요. 계단 오르기, 물 마시기, 일찍 자기 등이 모두 건강 저축이 됩니다.

3. **'실험자' 마인드 가지기** 모든 것을 완벽하게 하려고 하지 마세요. 대신 "이번 주는 이것을 시도해보자"는 실험자의 태도를 가져보세요.

4. **'회복력' 기르기** 실패는 피할 수 없습니다. 중요한 것은 얼마

나 빨리 일상으로 돌아오느냐입니다. 이것을 '탄력성 훈련'이라고 도 할 수 있습니다.

장수와 건강한 노화는 결국 '지속가능한 자기조절'의 문제입니다. 너무 엄격하지도, 너무 느슨하지도 않은 균형 잡힌 접근이 필요합니다. 첫째의 말처럼 "천천히 가도 괜찮아요, 멈추지만 않으면 되니까요." 마지막으로, 가장 중요한 것은 '왜' 건강하게 오래 살고 싶은지에 대한 진정한 이유를 찾는 것입니다. 저의 경우는 "우리 아이들의 아이들과 함께 공원을 산책하는 모습"을 상상하는 것이 강력한 동기가 됩니다.

120세까지 건강하게 사는 것, 불가능한 꿈이 아닙니다. 그것은 매일의 작은 선택들이 모여 만들어내는 현실이 될 수 있습니다. 자, 오늘 우리는 어떤 선택을 하시겠습니까?

5년 후의 나를 디자인하다

오늘 아침, 거울을 보며 문득 이런 생각이 들었습니다. '5년 전의 내가 지금의 나를 상상이나 했을까?' 세 아이의 엄마이자 심리학자로서, 저는 매일 작은 선택들이 만들어내는 놀라운 변화를 목격합니다. 그리고 그 변화는 때로는 우리가 상상했던 것보다 훨씬 더 크고 의미 있게 다가옵니다.

변화는 폭포처럼 한 번에 쏟아지지 않습니다. 그것은 마치 아침 이슬이 모여 작은 시냇물이 되고, 시냇물이 모여 강이 되는 것과 같습니다. 우리의 습관도 마찬가지입니다. 매일 아침 5분 일찍 일어나는 작은 습관이 5년 후에는 어떤 강을 만들어낼까요?

제가 상담했던 한 학생의 이야기가 떠오릅니다. 그는 매일 커피를 마실 때마다 한 페이지씩 책을 읽기로 했습니다. 처음에는 너무나 작은 변화처럼 보였죠. 하지만 5년이 지난 후, 그는 200권이 넘는 책을 읽었고, 그 지식을 바탕으로 자신의 사업을 시작했습니다. 작은 습관이 만든 거대한 나비효과였던 거죠.

습관의 힘은 그것이 가진 '지속가능성'에 있습니다. 첫째가 피아노를 배우기 시작했을 때, 처음에는 하루 5분 연습부터 시작했습니다. "너무 적은 거 아니에요?"라고 물었던 제게 피아노 선생님이 하신 말씀이 아직도 기억납니다. "5분이라도 매일 하는 것이, 한 번에 3시간 하고 일주일 쉬는 것보다 낫습니다."

비슷한 방식으로 우리가 5년 후의 모습을 디자인하는 방법을 구체적으로 살펴보겠습니다:

첫째, '역산의 법칙'을 활용하세요. 5년 후의 목표에서 시작해서 거꾸로 오늘 해야 할 일을 찾는 것입니다. 예를 들어, 5년 후에 마라톤을 완주하고 싶다면? 오늘은 5분 걷기부터 시작하면 됩니다.

둘째, '1% 개선의 법칙'을 기억하세요. 매일 1%씩 더 나아지는 것. 이것은 연간 37배의 성장을 의미합니다. 우리 둘째는 이것을 '눈덩이 법칙'이라고 부릅니다. 작은 눈덩이가 굴러가면서 점점 커지는 것처럼요.

셋째, '환경 디자인'의 중요성을 인식하세요. 미세습관을 지속하기 위해서는 환경이 우리의 편이 되어야 합니다. 운동화를 현관문 앞에 두는 것, 책을 침대 옆에 놓는 것, 이런 작은 환경 변화가 습관의 씨앗이 됩니다.

특히 중요한 것은 '실패의 재해석'입니다. 우리 막내가 걸음마를 배울 때처럼, 넘어지는 것은 실패가 아닌 학습의 과정입니다. 미세습관이 하루 깨졌다고 해서 모든 것이 무너지는 것은 아닙니다.

제가 경험한 가장 놀라운 습관의 효과는 '감사 일기'였습니다. 매일 잠들기 전 감사한 일 하나를 적는 것으로 시작했죠. 처음에는 너무 사소해 보였습니다. 하지만 5년이 지난 지금, 저는 1000개가 넘는 감사한 순간을 모았고, 이것은 제 삶을 바라보는 관점 자체를 변화시켰습니다.

습관의 또 다른 비밀은 '연쇄반응'입니다. 하나의 작은 습관이 다른 영역에도 영향을 미치는 것이죠. 예를 들어, 아침 명상을 시작한 한 내담자는 점차 식습관이 개선되고, 일의 효율성이 높아지고, 대인관계가 개선되는 것을 경험했습니다.

그리고 가장 중요한 것은 '정체성의 변화'입니다. 작은 습관은 단순히 우리가 하는 일을 바꾸는 것이 아니라, 우리가 누구인지를 바꿉니다. "나는 운동하는 사람이야", "나는 책 읽는 것을 즐기는 사람이야" 이런 정체성의 변화가 진정한 변화를 만들어냅니다.

5년 후의 나를 디자인할 때 기억해야 할 세 가지 원칙이 있습니다:

1. **'지금 여기'에서 시작하기** 완벽한 시작점은 없습니다. 우리가 서 있는 이 자리가 바로 시작점입니다.

2. **'과정'을 즐기기** 목표에 도달하는 것보다 중요한 것은 그 과정에서 우리가 누구로 성장하느냐입니다.

3. **'유연성' 유지하기** 계획은 언제든 수정될 수 있습니다. 중요한 것은 방향성입니다.

우리 인생은 매 순간의 작은 선택들로 이루어집니다. 지금 이 순간, 당신은 어떤 선택을 하시겠습니까? 그 선택이 5년 후의 당신을 만듭니다. 마지막으로, 가장 중요한 깨달음을 나누고 싶습니다. 작은 습관의 진정한 가치는 목표 달성이 아닙니다. 그것은 우리가 어떤 사람이 되어가는지에 대한 여정입니다. 마치 정원을 가꾸는 것처럼, 매일 조금씩 물을 주고 거름을 주다 보면, 어느 날 문득 아름다운 정원이 우리 앞에 펼쳐져 있는 것을 발견하게 될 것입니다. 당신의 정원에는 어떤 씨앗을 심으시겠습니까?

자기조절의 세대 간 전수
우리 아이에게 물려줄 최고의 유산

오늘 아침, 첫째가 뜻밖의 질문을 했습니다. "엄마, 우리 할머니도 어릴 때 자기조절을 배웠어요?" 세 아이의 엄마이자 심리학자로서, 이 질문은 제게 깊은 울림을 주었습니다. 자기조절이라는 보이지 않는 유산이 어떻게 세대를 거쳐 전해지는지, 그리고 우리는 다음 세대에게 무엇을 물려줄 수 있을지 생각해보게 되었습니다.

부모가 된다는 것은 놀라운 책임감과 동시에 특별한 기회를 의미합니다. 우리는 아이들에게 물질적인 것들을 물려줄 수 있지만, 가장 가치 있는 유산은 바로 삶을 살아가는 지혜, 그중에서도 자기조절의 능력일 것입니다.

한 노년의 할머니가 들려주신 이야기가 특히 기억에 남습니다. "우리 시대에는 자기조절이라는 말조차 없었어요. 하지만 어머니가 보여주신 삶의 모습 자체가 최고의 가르침이었죠. 어머니는 매일 새벽 일찍 일어나 마당을 쓰셨고, 힘든 일이 있어도 결코 감정을 폭발시키지 않으셨어요. 그 모습이 제게는 살아있는 교과서였답니다."

자기조절의 세대 간 전수는 세 가지 중요한 차원에서 이루어집니다. 첫째, '보여주기'입니다. 아이들은 우리가 하는 말보다 행동을 더 정확하게 기억합니다. 우리 둘째가 얼마 전 이런 말을 했습니다. "엄마가 화났을 때 심호흡하는 거 봤어요. 저도 이제 그렇게 해요." 이것이 바로 살아있는 교육의 힘입니다. 저는 매일 아침 명상하는 모습을 아이들에게 보여줍니다. 처음에는 이해하지 못했지만, 이제는 가끔 옆에 와서 조용히 앉아있기도 합니다. 말로 설명하지 않아도, 그들은 이미 내면의 평화를 찾는 방법을 배우고 있는 것입니다. 둘째, '함께하기'입니다. 자기조절은 혼자 하는 것이 아닌 함께 배우는 여정입니다. 우리 가족은 '감정 날씨 보고'라는 특별한 저녁 ritual을 만들었습니다. 각자의 하루가 어떤 날씨였는지 이야기하면서, 자연스럽게 감정을 인식하고 표현하는 법을 배우게 됩니다. 특히 효과적인 것은 '실수 나누기' 시간입니다. 부모인 우리도 완벽하지 않다는 것, 실수해도 괜찮다는 것, 중요한 건 다시 시작하는 용기라는 것을 아이들과 나눕니다. 우리 막내는 이런 시간을 '마법의 시간'이라고 부릅니다. 셋째, '이해시키기'입니다. 단순히 규칙을 따르는 것이 아니라, 왜 그래야 하는지 이해하는 것이 중요합니다. 예를 들어, 취침 시간을 정할 때, 우리는 아이들에게 수면이 뇌에 미치는 영향을 설명합니다. 재미있는 것은, 이해하고 나면 아이들 스스로가 더 적극적으로 참여한다는 점입니다. 하지만 여기서 가장 중요한 깨달음이 있습니다. 자기조절을 가르치는 최고의 방법은 우리 자신이 먼저 변화하는 것입니다. 아이들은 우리의 말이 아닌, 우리의 존재 자체에서 배우기 때문입니다.

다음 세대에게 전해줄 수 있는 구체적인 자기조절의 도구들을 추천합니다.

1. **'감정 사전' 만들기** 매일 새로운 감정 단어를 배우고 그것을 경험한 순간들을 기록합니다. 이는 풍부한 감정 어휘를 발달시키고, 더 섬세한 자기조절을 가능하게 합니다.
2. **'실험 정신' 키우기** 모든 도전을 하나의 실험으로 봅니다. 실패가 아닌 데이터를 수집하는 과정으로 보는 거죠. 첫째는 이제 어려운 상황에서 "이건 새로운 실험이에요!"라고 말합니다.
3. **'회복력 일기' 쓰기** 어려움을 극복한 경험들을 기록합니다. 이는 미래의 도전을 위한 자신감의 원천이 됩니다.

자기조절의 유산을 전수하면서 특히 주의해야 할 것들도 있습니다:

1. 완벽주의의 함정을 피하기 자기조절은 완벽한 통제가 아닌, 현명한 조절을 의미합니다.
2. 개인차 인정하기 각자의 속도와 방식이 다르다는 것을 존중해

야 합니다.
3. 실패를 배움의 기회로 보기 실패한 순간이야말로 가장 큰 배움이 일어나는 순간입니다.

특별히 감동적인 것은, 이러한 자기조절의 유산이 단순히 부모에서 자식으로만 전해지는 것이 아니라는 점입니다. 종종 아이들로부터 우리가 더 많은 것을 배우기도 합니다. 3살 막내가 화가 났을 때 보여준 순수한 감정 표현, 둘째가 보여준 끈기 있는 도전 정신, 첫째가 보여준 창의적인 문제 해결 방식 등 이 모든 것이 우리에게는 새로운 배움이 되었습니다.

마지막으로, 가장 중요한 메시지를 전하고 싶습니다.
자기조절이라는 유산은 단순한 기술이나 능력의 전수가 아닙니다. 그것은 삶을 대하는 태도, 세상을 바라보는 관점, 그리고 자신과 타인을 이해하는 지혜의 전수입니다. 우리가 아이들에게 물려줄 수 있는 최고의 선물은, 어떤 상황에서도 자신을 잃지 않고 중심을 잡을 수 있는 내면의 나침반을 갖게 하는 것입니다.

오늘도 전 세계 어딘가에서, 수많은 부모들이 자녀들에게 이 소중한 유산을 전하고 있을 것입니다. 때로는 말로, 때로는 행동으로, 때로는 그저 함께 있어주는 것만으로도. 그리고 그 작은 노력들이 모여, 더 나은 다음 세대를 만들어가고 있는 것입니다.

이제 우리도 시작해볼까요? 오늘, 바로 이 순간부터. 우리가 보여주는 작은 자기조절의 순간들이, 우리 아이들의 인생에 어떤 아름다운 변화를 만들어낼지 상상해보세요. 그리고 기억하세요. 가장 위대한 유산은 항상 눈에 보이지 않는 것들이었습니다. 자기조절이라는 이 보이지 않는 선물이, 우리 아이들의 삶을 얼마나 풍요롭게 만들어줄지, 우리는 상상조차 하지 못할지도 모릅니다. 마지막 문장으로, 저희 어머니가 항상 하시던 말씀을 전하고 싶습니다. "진정한 유산은 통장에 있는 숫자가 아니라, 가슴 속에 새겨진 지혜란다." 우리 모두 다음 세대에게 이 소중한 선물을 전하는 여정에 함께하시지 않겠습니까?

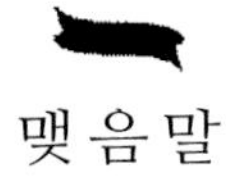

맺음말

이 책을 마무리하며, 제 이야기를 잠시 나누고 싶습니다. 세 아이의 엄마이자 교수, 그리고 연구자로서의 제 일상은 늘 완벽과는 거리가 멉니다. 시터 없이 세 아이를 키우면서 교수 생활을 하는 것은, 말 그대로 매일이 외줄타기와 같습니다.

매일 아침은 전쟁터입니다. 세 아이의 등교 준비를 돕고, 아침을 먹이고, 각자 다른 곳으로 데려다주고 그리고 나서야 연구실로 향합니다. 강의 준비는 주로 깊은 밤에 이루어지고, 논문 작업은 주말 새벽에 합니다. 때로는 아이들 숙제 검사를 하면서 동시에 학회 발표 자료를 준비하기도 하죠.

완벽한 엄마도, 완벽한 교수도 되지 못합니다. 아이들 학부모 모임에 참석하지 못할 때면 마음이 아프고, 밤늦게까지 이어지는 회의 때문에 아이들 저녁 식사를 챙기지 못할 때면 죄책감이 밀려옵니다. 연구실에서는 더 많은 시간을 보내지 못해 아쉽고, 집에서는 아이들과 더 많은 시간을 보내지 못해 미안합니다.

그럼에도 불구하고, 아니 어쩌면 그렇기 때문에 이 책을 쓰게 되었는지도 모르겠습니다. 제가 겪은 모든 실패와 좌절, 그리고 그 속에서 발견한 작은 희망들이 누군가에게는 위로가 될 수 있지 않을까 하는 마음에서요.

자기조절에 대해 연구하면서 깨달은 가장 큰 진리는, 우리 모두가 불완전하다는 것입니다. 자기조절을 연구하는 저조차도 매일 자기조절과의 씨름을 하고 있습니다. 마감 직전에 밤새워 일하기도 하고, 스트레스 받을 때면 초콜릿에 의지하기도 하고, 아이들 앞에서 감정 조절에 실패할 때도 있습니다.

하지만 그런 불완전함 속에서도, 우리는 조금씩 성장해갑니다. 실패할 때마다 새로운 것을 배우고, 넘어질 때마다 다시 일어나는 법을 익혀갑니다. 그리고 그 과정에서 깨달은 것들을 이 책에 담았습니다.

이 책은 완벽한 해답을 제시하지 않습니다. 대신 불완전한 우리가 어떻게 조금씩 더 나아질 수 있는지, 그 여정의 이야기를 담고 있습니다. 제가 겪은 시행착오들, 세 아이와 함께 발견한 작은 지혜들, 연구실에서 마주한 인사이트들... 이 모든 것들이 모여 이 책이 되었습니다.

특히 감사한 것은 제 아이들입니다. 그들은 제게 최고의 스승이었습니다. 첫째에게서는 끈기를, 둘째에게서는 창의성을, 막내에게서는 순수한 기쁨을 배웠습니다. 그들과 함께하는 매 순간이 새로운 배움이었고, 그 배움들이 이 책의 많은 부분을 채우고 있습니니다.

학계에 계신 분들께는 이 책이 너무 대중적으로 보일 수도 있고, 육아를 하시는 분들께는 너무 학술적으로 느껴질 수도 있습니다. 하지만 저는 이 불완전한 균형이 오히려 이 책의 진정성을 보여준다고 생각합니다. 이론과 현실, 연구와 일상이 만나는 지점에서 우리는 진정한 통찰을 얻을 수 있으니까요.

이 책을 쓰는 동안에도 수많은 자기조절의 실패가 있었습니다. 마감을 지키지 못했고, 밤늦게까지 원고를 쓰다가 아침에 늦잠을 자기도 했죠. 하지만 그런 실패들조차도 이 책의 한 부분이 되었습니다. 왜냐하면 자기조절은 완벽한 성공이 아닌, 끊임없는 도전의 과정이니까요.

부족한 시간을 쪼개 이 책을 읽어주신 여러분께 진심으로 감사드립니다. 여러분의 삶에서도 자기조절과의 씨름이 계속될 것입니다. 그 과정에서 이 책이 작은 도움이 되길 바랍니다. 완벽하지 않아도 괜찮습니다. 우리는 모두 성장하는 중이니까요.

마지막으로, 저의 세 아이에게 고맙다는 말을 전하고 싶습니다. 엄마가 책을 쓴다고 늦은 저녁에도 이해해주고, 주말에도 양해해준 아이들 그리고 그 과정에서 오히려 더 성숙해진 모습을 보여준 그들에게, 이 책을 바칩니다.

그리고 이 글을 읽고 계신 여러분, 우리 함께 자기조절이라는 여정을 걸어가보지 않으시겠습니까? 때로는 비틀거리고, 때로는 넘어지더라도, 다시 일어나 한 걸음 한 걸음 나아가는 그 여정을 말입니다. 여러분의 동행이 저에게는 큰 힘이 될 것 같습니다. 부족한 글을 끝까지 읽어주셔서 감사합니다.

2024년 12월

세 아이의 엄마이자, 불완전한 교수이자, 여전히 배우는 중인 연구자로부터.